Textes et photos : **Yves Laframboise**

Graphisme : **Jean-François Lejeune**
Traitement des images : **Mélanie Sabourin**
Technicien support informatique : **Mario Paquin**
Révision : **Rachel Fontaine**

Données de catalogage avant publication (Canada)
Laframboise, Yves
    Intérieurs québécois : ambiances et décors de nos belles maisons
1. Habitations – Aménagement – Québec (Province). 2. Décoration intérieure – Québec (Province).
3. Habitations – Aménagement – Québec (Province) – Histoire. 4. Décoration intérieure –
Québec (Province) – Histoire. 5. Habitations – Aménagement – Québec (Province) – Ouvrages illustrés.
6. Décoration intérieure – Québec (Province) – Ouvrages illustrés. I. Titre.
NK2013.A3Q4 2003   747.211'4   C2003-940415-3

DISTRIBUTEURS EXCLUSIFS :
Pour le Canada et les États-Unis :
    MESSAGERIES ADP*
    955, rue Amherst – Montréal, Québec – H2L 3K4
    Téléphone : (514) 523-1182 • Télécopieur : (514) 939-0406
    * Filiale de Sogides ltée
Pour la France et les autres pays :
    VIVENDI UNIVERSAL PUBLISHING SERVICES
    Immeuble Paryseine – 3, Allée de la Seine – 94854 Ivry Cedex
    Téléphone : 01 49 59 11 89/91 • Télécopieur : 01 49 59 11 96
    Commandes : Téléphone : 02 38 32 71 00 • Télécopieur : 02 38 32 71 28
Pour la Suisse :
    VIVENDI UNIVERSAL PUBLISHING SERVICES SUISSE
    Case postale 69 – 1701 Fribourg – Suisse
    Téléphone : (41-26) 460-80-60 • Télécopieur : (41-26) 460-80-68 • www.havas.ch • Email : office@havas.ch
    Distribution : OLF SA
    Z.I. 3, Corminbœuf – Case postale 1061 – CH-1701 Fribourg
    Commandes : Téléphone : (41-26) 467-53-33 • Télécopieur : (41-26) 467-54-66 • Email : commande@ofl.ch
Pour la Belgique et le Luxembourg :
    VIVENDI UNIVERSAL PUBLISHING SERVICES BENELUX
    Boulevard de l'Europe 117 – B-1301 Wavre
    Téléphone : (010) 42-03-20 • Télécopieur : (010) 41-20-24 • http://www.vups.be • Email : info@vups.be

Pour en savoir davantage sur nos publications, visitez notre site : www.edhomme.com

Gouvernement du Québec – Programme de crédit d'impôt pour l'édition de livres – Gestion SODEC.

L'Éditeur bénéficie du soutien de la Société de développement des entreprises culturelles du Québec
pour son programme d'édition.

Nous remercions le Conseil des Arts du Canada de l'aide accordée à notre programme de publication.

Nous reconnaissons l'aide financière du gouvernement du Canada par l'entremise du Programme
d'aide au développement de l'industrie de l'édition (PADIÉ) pour nos activités d'édition.

INTÉRIEURS QUÉBÉCOIS

Yves Laframboise

QUÉBÉCOIS

Ambiances et décors de nos belles maisons

À Louise, pour son aide à la réalisation de ce livre

L

R E M E R C I E M E N T S

a réalisation de ce livre a été rendue possible grâce à la collaboration de plusieurs personnes et, plus particulièrement, de Valérie Bourgeois de la Corporation de développement du vieux presbytère de Batiscan, Michelle Buteau de Cap-Santé, Annie et Pierre Cantin de Boischâtel, France Gagnon-Pratte et Hélène Michaud du Conseil des monuments et sites du Québec, sœur Madeleine Juneau de la maison Saint-Gabriel à Pointe-Saint-Charles, Françoise Lettre de Saint-Laurent (I.O.), Monique Nadeau-Saumier de la maison Colby-Curtis à Stanstead, Claire Rémillard de la Société de développement de la seigneurie Mauvide-Genest, Myriam Taschereau du Manoir Taschereau à Sainte-Marie-de-Beauce, Jacqueline Théberge, régisseure de la Seigneurie des Aulnaies, Jeannine Trudel de Neuville, Jean-René Caron de Québec, Jacques Cloutier et Daniel Audet de Gould, Fernand Fortier de Sainte-Claire, Pierre Lahoud du ministère de la Culture et des Communications (Québec), Richard Pedneault de la maison Laurier à Arthabaska, Paul Trépanier, ainsi que tous les propriétaires de maisons anciennes présentées dans ce livre qui ont choisi de demeurer dans l'anonymat.

... J'essayais de trouver la beauté là où je ne m'étais jamais figuré qu'elle fut, dans les choses les plus usuelles, dans la vie profonde des « natures mortes ».

Marcel Proust, *À la recherche du temps perdu*

INTROD

Le cadre
de vie quotidien

L'

aspect intérieur d'une maison et les divers éléments qui composent son décor — les meubles et luminaires, le voilage des fenêtres, le revêtement des murs et des planchers — reflètent la personnalité de ses propriétaires, leurs goûts, leurs valeurs ainsi que leur perméabilité aux modes qui ont cours. Les intérieurs sont le reflet des époques qui les ont vu naître.

Bon nombre de maisons anciennes telles qu'on peut les voir aujourd'hui ont fait l'objet de réparations, d'améliorations et d'ajouts qui ont modifié leur apparence extérieure. Mais qu'il s'agisse de propriétés classées ou ayant le statut de musée, de maisons privées remises dans leur état d'origine par des amateurs nostalgiques ou épris de valeurs patrimoniales, de résidences encore occupées par leurs descendants, les intérieurs de ces maisons ont évolué eux aussi, imprégnés des valeurs de leurs nouveaux occupants, et subi des influences diverses. Les progrès techniques, les variations de goûts et de tendances, les nouvelles nécessités liées au confort ou au luxe, de même que l'usure du temps ont largement participé à ces transformations.

Si la restauration des maisons de style a ses exigences, il n'en demeure pas moins que tous ceux qui la pratiquent choisissent de donner à leur maison une personnalité qui est le reflet de leurs goûts et de leurs valeurs. Les maisons ont donc une personnalité qui se modèle sur celle de leur propriétaire. Quelques-uns parmi eux, en effectuant leurs travaux de remise en valeur, vont s'en tenir rigoureusement à une époque, souvent celle de la construction de la propriété, et choisir de ne pas s'en écarter, tandis que d'autres préféreront mettre en évidence les différentes périodes qui ont imprimé leurs marques sur la maison. D'autres encore, ayant converti leur résidence en gîte du passant ou ayant tout simplement choisi un aménagement qui allie l'ancien au contemporain, vont lui conserver ses traits d'authenticité et l'agrémenter plus librement en créant un décor chaleureux quoique dépourvu de référence historique. Quelques maisons qui n'ont eu d'autres propriétaires que les descendants d'une même lignée se présentent encore aujourd'hui dans un état proche de celui qui était le leur au moment de leur construction. D'autres, authentiques richesses patrimoniales ou dont certaines caractéristiques historiques ont été conservées, ont été confiées à des associations de protection qui les mettent en valeur en ouvrant leurs portes au public. Dans tous les cas, une même passion, un même souci d'équilibre animent ces conservateurs passionnés qui ont réussi à concilier les exigences contemporaines dictées par le confort avec le respect du bâtiment.

Ces maisons, celles que je vous présente dans ce livre, se rangent à toutes fins utiles en deux groupes, celles qui sont du domaine public et qui ont désormais le statut de musée, et celles qui appartiennent à des particuliers. Les premières, gérées par des organismes sans but lucratif, ont pour la plupart conservé ou repris les traits caractéristiques des intérieurs d'époque puisqu'elles s'appliquent à témoigner du cadre de vie de l'un de leurs premiers occupants. Leur aménagement intérieur se compose généralement d'une collection de meubles et d'objets d'époque *in situ,* d'une collection d'une époque choisie par les conservateurs et qu'ils jugent représentative, ou encore d'un mélange des deux.

À côté de ces demeures au caractère institutionnel, les maisons privées présentent des aménagements tout aussi intéressants. Dans bien des cas, l'ensemble du décor architectural intérieur a été soigneusement conservé, de même que les meubles d'origine. Tirant parti des charmes que confère une ambiance évocatrice du passé, plusieurs de ces maisons ont été transformées en gîtes du passant et sont de ce fait accessibles au public qui les fréquente avec de plus en plus d'assiduité. D'autres, habitées par leurs propriétaires qui ont choisi de demeurer anonymes, pourront être admirées grâce à des photographies, leurs occupants ayant généreusement accepté de lever un coin de voile sur leur nid de bonheur.

Vous aurez donc le plaisir de parcourir, selon une séquence chronologique qui débute à la fin du XVIIe siècle et se termine dans la décennie 1930, des maisons remarquables, dont les intérieurs se distinguent par la valeur historique de leurs aménagements intérieurs, par la richesse et la diversité de leur décor architectural et par la qualité du mobilier et des objets anciens qui les meublent.

Place donc à la découverte et à l'appréciation de cadres de vie anciens remarquables, objets d'admiration, objets d'amour, mais aussi objets de recueillement et lieux de résidence des bonheurs quotidiens !

La grande salle commune de la maison Lamontagne à
Rimouski-Est est une reconstitution rigoureuse à l'intérieur d'une
maison exceptionnelle construite en colombages. À l'époque,
les meubles étaient
disposés autour de
la pièce et on les
déplaçait au besoin.

DES ÉPOQUES ET DES STYLES DIVERSIFIÉS
Un parcours dans le temps

Avant d'entamer ce parcours à travers le temps, je tenterai de répondre à quelques questions qui ont trait à l'aménagement de la maison. Nous savons qu'une maison se transforme au gré de ses propriétaires et des époques qu'elle traverse, mais de quelle manière cette évolution se déroule-t-elle ?

Les progrès techniques propres à chaque époque et les nouveaux matériaux locaux ou importés viennent ouvrir la voie aux architectes. Ceux-ci donnent le ton et impriment leurs styles et leurs façons de faire tandis que les conditions sociales tempèrent leur influence en fonction des niveaux de richesse de chaque individu. Quatre siècles d'habitation sont autant de manières d'organiser un espace quotidien.

LA MAISON DES XVIIᵉ ET XVIIIᵉ SIÈCLES
Une influence venue du Moyen Âge

Les maisons paysannes des XVIIᵉ et XVIIIᵉ que l'on trouve encore aujourd'hui dans la vallée du Saint-Laurent rappellent les habitations construites en France au cours du Moyen Âge, soit entre le XIIᵉ et le XVᵉ siècle. Celles-ci, de très anciennes demeures, sont construites selon un plan sommaire, l'espace habitable se résumant à une ou deux pièces au rez-de-chaussée. Il s'agit souvent de maisons très modestes faites de quatre murs recouverts d'un toit. Les activités quotidiennes de leurs occupants ont lieu dans une grande salle commune et se déroulent autour d'une grande cheminée double centrale ; dans cette même pièce où la promiscuité est grande, on fait la cuisine, on mange et on dort.

Dans la vallée du Saint-Laurent, on retrouve ce type de maison où le rez-de-chaussée seul est habité tandis que l'étage des combles sert à entreposer des outils ou des aliments secs. Les activités s'organisent autour du foyer que l'on utilise pour le chauffage et la cuisson des aliments. Situé le plus souvent au centre de la maison, il sépare celle-ci en deux pièces distinctes : la première comprend l'espace cuisine, la deuxième sert au repos.

À l'intérieur des demeures bourgeoises, les pièces plus nombreuses sont réparties autour du carré et les portes sont en enfilade, à proximité des murs extérieurs, donc tout près des fenêtres, ce qui permet sans doute aux occupants de profiter de l'éclairage du jour. On peut observer ce modèle d'organisation dans *Le manoir Mauvide-Genest* à Saint-Jean, île d'Orléans, récemment ouvert au public et que nous visiterons dans ces pages.

Le mobilier est-il absent du centre de l'espace, comme on peut l'observer en visitant de grandes résidences bourgeoises françaises ? Il semble que oui. Dans ce cas, le mobilier est plutôt réparti tout le long des murs.

Si on compare ces résidences à celles que nous connaissons aujourd'hui, le manque d'intimité se révèle flagrant. Mais n'oublions pas qu'au cours des XVIe et XVIIe siècles, la notion d'intimité n'est pas celle que nous connaissons aujourd'hui.

À cette époque, en France, il est courant de recevoir les visiteurs alors qu'on est encore au lit, la chambre étant considérée comme une pièce où chacun peut aller et venir à sa guise. Les visiteurs peuvent par exemple s'asseoir sur des tabourets autour du lit du propriétaire et entamer la conversation avec lui. Rappelons-nous que même les rois de France se comportaient ainsi. On peut donc penser que de tels usages avaient cours chez nous quand les premiers Français ont élu domicile dans notre pays.

Quelles sont les couleurs qui ornent les murs de ces premières habitations ? Certains chercheurs sont convaincus de la prédominance de tons neutres, notamment le blanc crème et les tons du bois à son naturel. D'autres avancent que les couleurs franches étaient plus présentes qu'on ne l'a d'abord cru, l'ocre jaune, le bleu gris, le rouge foncé et le vert bleu étant des couleurs fort répandues sur le continent européen. Mais la restauration du manoir Mauvide-Genest, un bâtiment construit au milieu du XVIIIe siècle, qui a permis un travail méticuleux de recherche en ce sens, nous apporte un éclairage assez complet à cet égard. La diversité des couleurs apparaît en effet très grande et comprend des jaunes, des verts, des bleus et des rouges.

Remarquons aussi la sobriété de l'aménagement : il y a peu de boiseries décoratives, les murs sont recouverts d'un enduit au fini plutôt brut, les moulures sont pratiquement absentes, les plafonds sont bas et les fenêtres petites ne donnent qu'un éclairage réduit.

La plupart des intérieurs de maisons ayant été améliorés en fonction de nos normes de confort actuelles, il est difficile d'imaginer quel était l'aspect d'un intérieur il y a deux siècles. Celui-ci, photographié dans un fournil de Saint-Roch-des-Aulnaies, avec son plancher de terre, ses murs décrépis et son échelle de meunier, nous en donne un bon exemple.

Les portes sont en bois, formées de planches juxtaposées et maintenues en place par des traverses, ou encore ce sont des portes à panneaux. Les fenêtres sont fermées au moyen d'un châssis à deux battants comportant un grand nombre de petits carreaux. Quant aux plafonds, il n'y en a pas à strictement parler, les poutres qui supportent le plancher de l'étage des combles en tenant lieu.

On sait que les rideaux, généralement suspendus au moyen de boucles en tissu ou de crochets métalliques cousus, ne sont apparus qu'au XVIe siècle et nous n'avons pas d'indications qu'ils aient été utilisés dans ces maisons.

L'escalier menant à l'étage des combles s'avère la plupart du temps une échelle de meunier fixée à proximité du foyer principal. Celui-ci, lieu de convergence des activités quotidiennes, prend la forme d'une grande ouverture pratiquée dans un ouvrage de maçonnerie brute et dotée d'un conduit d'évacuation qui fait son chemin en ligne plus ou moins droite au travers des combles. Il est parfois aidé dans ses fonctions par un poêle en métal.

Plusieurs maisons ont été construites d'après ce modèle empreint de simplicité. Mentionnons *La maison Saint-Gabriel,* dont le corps de logis central et la salle commune datent de la fin du XVIIe siècle. Pour sa part, *Le manoir Mauvide-Genest* de l'île d'Orléans témoigne d'un intérieur français bourgeois du milieu du XVIIIe siècle et montre une disposition des pièces en enfilade, comme on en trouve beaucoup dans la France de ce siècle.

La distinction qu'apporte le néoclassicisme est évidente dans cet intérieur d'une maison de l'île d'Orléans de la première moitié du XIXᵉ siècle. À l'étage principal, de larges chambranles ornent le pourtour des portes. Le plafond, constitué de planches recouvertes d'un couvre-joint, est typique des constructions du XIXᵉ siècle.

Deux autres maisons que nous visiterons dans ce livre, l'une en pierre *(La maison des Imbeau)* et l'autre en bois *(Une maison face à la majesté du fleuve),* construites au XVIIIᵉ siècle, sont des propriétés de particuliers dont les intérieurs ont été restaurés avec grande minutie. Une autre, située dans Portneuf, est un bel exemple d'une maison villageoise de la toute fin du XVIIIᵉ siècle, bâtie sur plusieurs étages et flanquée de cheminées dans ses murs pignons *(Une maison adaptée à un relief de terrasses).*

LE DÉBUT DU XIXᵉ SIÈCLE ET LE NÉOCLASSICISME
Un peu de distinction

Le début du XIXᵉ siècle et l'introduction du néoclassicisme vont changer la physionomie de la maison de la vallée du Saint-Laurent. Une esthétique nouvelle apparaît dont la symétrie demeure le trait marquant. L'ornementation se raffine. Parallèlement à ces changements esthétiques, l'amélioration des systèmes de chauffage facilite graduellement la conversion de l'étage en un lieu habité. L'habitation obéit désormais à des règles d'organisation verticale et non plus uniquement horizontale.

Le rez-de-chaussée subit pour sa part des transformations notables. Sous l'influence du néoclassicisme qui a cours dans les premières années du XIXᵉ siècle, la porte principale se déplace au centre de la maison, de même que l'escalier qui conduit à l'étage. Ce changement, d'abord esthétique, va entraîner une modification de l'organisation de l'espace intérieur qui aura des répercussions jusqu'au XXᵉ siècle.

Dans ce même intérieur d'une maison de l'île d'Orléans, deux portes, elles aussi ornées de larges chambranles, et une arche qui prend naissance sur un pilier classique.

La porte principale s'ouvre donc sur un escalier central qui crée une nouvelle pièce : un vestibule ou hall d'entrée, pièce d'introduction pas tout à fait intime puisqu'elle est accessible à tous les visiteurs.

L'étage des combles, qui servait jusque-là à remiser ou à entreposer diverses marchandises, se transforme graduellement en espace habité. Celui-ci va peu à peu se subdiviser en pièces fermées, des chambres dont les murs sont lambrissés. Souvent, la localisation et la superficie de ces espaces privés dépendent du rang que tient chaque individu dans la famille : parents, jeunes enfants, adolescents, grands-parents ou proches relations.

Les comportements et les habitudes sociales des gens se modifient aussi et vont donner lieu à des changements majeurs dans le rôle que tiennent certaines pièces. Si l'on en croit certains historiens, ce n'est qu'à la fin du XVIIIe siècle, afin d'augmenter le confort domestique, que, suivant le principe anglais, la chambre est enfin considérée comme un espace intime consacré au repos. À l'inverse, les Anglais vont emprunter aux Français l'usage d'une pièce, la salle à manger ; ils vont l'adopter en permanence et la destiner à la consommation des repas au lieu de déplacer et replacer leurs meubles le long des murs comme ils le faisaient alors tous les jours.

C'est aussi au XVIIIe siècle que la cuisine acquiert son identité propre et qu'elle est exclusivement réservée à la préparation des repas. Les autres activités auront lieu dans la cuisine d'été ou dans un bâtiment annexe. Un escalier de service

conduit de la cuisine à la cave, ce sous-sol qui a gagné en volume et en fonction-
nalité, où sont entreposées des denrées, où sont rangés des ustensiles, des outils et
divers accessoires. Les murs de la cave sont percés de soupiraux et même à l'occasion d'une entrée pratiquée dans le solage.

Toutes ces modifications dans l'organisation de l'espace intérieur créent
une véritable révolution qui marquera toutes les périodes historiques et stylistiques
subséquentes et persistera jusqu'au XXe siècle.

Un autre changement notable, l'amélioration des systèmes de chauffage, a
lieu à la même époque. Les foyers, désormais intégrés aux murs pignons, sont plus
nombreux, mieux construits et plus efficaces. De plus en plus populaires, les poêles
à bois, reliés aux cheminées par un tuyau, prennent place au centre de la maison, à
proximité des cloisons. Ainsi apparaissent ces grandes ouvertures de poêle munies
d'un cadrage, quelquefois fermées de panneaux de menuiserie ou en métal, destinées
à contrôler la circulation de l'air chaud.

L'influence néoclassique se manifeste également dans la décoration intérieure
des habitations. Les éléments d'ornementation architecturale apparaissent particulièrement dans les maisons de gens aisés. Les foyers sont rehaussés de manteaux de
menuiserie et surmontés de corniches. Quelquefois, le décor englobe l'ensemble de
la cheminée et du foyer et s'intègre dans un ensemble de lambris recouvrant le mur.
Les cloisons de planches ou de madriers sont rehaussées d'une moulure à hauteur

*Dans cette
même maison.
on peut voir,
à l'étage des chambres, une
mouluration beaucoup plus
simple autour des portes.*

d'appui, l'appui-chaise, et sont ornées de plinthes à la base et surmontées de corniches atteignant le plafond. Car il y a maintenant un vrai plafond, constitué de planches embrevées les unes dans les autres, procédé que l'on appelle communément à couvrejoint. Des chambranles plus ou moins élaborés entourent les ouvertures des cloisons.

Dans les maisons plus cossues, les embrasures des fenêtres comportent souvent des boiseries formées de panneaux d'assemblage et de volets du même type. Au début du XIXe siècle, l'amélioration de la qualité du verre permet par ailleurs d'utiliser de plus grands carreaux pour la confection des fenêtres et de réduire le nombre de carreaux par châssis, ce qui porte à six les carreaux de la fenêtre qui en comptait jadis jusqu'à 24.

Plusieurs maisons ont été retenues pour illustrer dans ce livre les changements et les améliorations apportés à cette époque. D'abord, rappelons-nous que plusieurs habitations du XVIIIe siècle ont vu leur intérieur modifié et arrangé au goût du XIXe siècle ; c'est le cas de *La maison Lettre-Trudel* à l'île d'Orléans. *Le vieux presbytère de Batiscan* offre quant à lui un intérieur remarquable, grâce à une menuiserie d'origine entièrement conservée dans sa couleur naturelle.

Au début du XIXe siècle, une concentration anglo-saxonne apparue au moment de la Conquête à la suite d'une immigration de nos voisins du sud influence graduellement l'architecture locale et fait surgir de nouveaux modèles d'habitations sur le territoire. Ces changements affectent aussi le décor et les aménagements intérieurs.

Ainsi, la fin de la période georgienne (1720-1830) amène au Québec la vogue du petit cottage Régence, auquel le courant pittoresque confère une teinte légèrement exotique. Ces petites maisons conservent une disposition classique des pièces, soit un escalier central flanqué de deux pièces de part et d'autre, mais, élément nouveau, de grandes fenêtres et parfois même des portes-fenêtres (dites aussi portes françaises) procurent un lien plus affirmé avec l'extérieur. Il n'est pas rare de trouver dans ces cottages un décor intérieur quelque peu chargé où règne un mélange d'influences. Des motifs nouveaux apparaissent où, par exemple, les sources d'inspiration gothiques, classiques et orientales sont difficiles à départager. Le Régence introduit notamment les arcades aveugles surmontées d'un arc en ogive, dans lesquelles on peut placer un meuble. Au sol, des tapis persans aux motifs richement colorés ajoutent une note exotique.

Pour parer le mobilier ou garnir les fenêtres, on emploie fréquemment des tissus, usage qui se répand graduellement et nous prépare à l'étape suivante, celle du Victorien. La popularité des papiers peints, notamment les papiers à rayures, puis celle des brocarts aux motifs souvent flamboyants, aux couleurs de magenta, d'émeraude et de bleu azur continuent de croître. Des grosses corniches apparaissent au-dessus des murs et des rideaux garnissent les fenêtres.

Le phénomène des cottages pittoresques est illustré dans cet ouvrage par deux maisons. On appréciera le début timide du romantisme intérieur dans *Le cottage Henry-Stuart* et dans *Le manoir Dionne* à Saint-Roch-des-Aulnaies.

Plus au sud, à proximité de la frontière canado-américaine, on retrouve des maisons présentant des airs de parenté avec celles de la Nouvelle-Angleterre, même si l'aménagement intérieur s'organise en fonction des grands principes qui prévalent dans le cottage d'esprit néoclassique de la vallée du Saint-Laurent. Les intérieurs de ces maisons situées au sud du Québec sont plus colorés, on peut y voir des verts, des bruns et des rouges. La mouluration du décor y est d'ailleurs plus raffinée.

Les planchers de ces maisons sont généralement doubles. Sur une première épaisseur de madriers au fini brut repose un second recouvrement de plancher, fait de madriers blanchis (c'est-à-dire varlopés). Quant aux cloisons, elles se distinguent par la présence d'un enduit fixé au lattage, procédé inhabituel dans la vallée du Saint-Laurent. Ce lattage, fait de tiges d'arbrisseaux fendues, est cloué sur des planches ou des madriers. Les fenêtres sont les dignes héritières de la fenêtre georgienne qui compte deux châssis à guillotine. Les châssis sont ornés de 9, 12 ou 15 carreaux. Les proportions de la fenêtre offrent généralement un rapport de 1 à 2, 1 pour la largeur et 2 pour la hauteur.

Le classicisme anglais déjà teinté d'américanité est illustré par trois maisons sises au sud du Québec : une maison avec son entrée sur le mur pignon *(Une maison près du Richelieu)*, une maison de brique à deux niveaux avec cuisine d'été arrière *(Une maison de loyaliste près de la baie Missisquoi)* et une petite chaumière anglaise construite par un émigré écossais *(Une maison aux couleurs de l'Écosse)*.

Un intérieur de la période victorienne dans une maison de style néo-Queen Anne, dans les Cantons-de-l'Est. Les couleurs plus sombres des chambranles, que l'on remarque aussi autour des ouvertures et des médaillons au plafond, caractérisent cette période.

LA PÉRIODE VICTORIENNE
Des goûts variés dictés par le confort

Le classicisme anglais a amorcé, dès le début du XIXe siècle, des changements importants dans le décor architectural intérieur et dans l'organisation de l'espace. La période victorienne, quant à elle, peut donner avec ses nouveaux modèles architecturaux inspirés principalement du Moyen Âge, de la Renaissance italienne, de la Renaissance française et du Second Empire français l'impression de se préoccuper exclusivement du passé, en écartant de son chemin la nouveauté et le progrès... Mais c'est tout le contraire qui se passe ! Des transformations remarquables touchant les aménagements intérieurs des maisons, le décor et les commodités font de cette période qui s'étale entre 1837 et le tournant du XXe siècle une époque de grandes innovations.

Ces bouleversements vont bien au-delà des nouvelles sources d'inspiration. Le raffinement des techniques de transformation des matériaux, l'amélioration ou l'invention de nouveaux procédés de construction ainsi que les publications de plus en plus nombreuses portant sur les maisons, la décoration et l'art de construire constituent un terreau propice aux changements. La société évolue, se complexifie et se répartit en différentes classes sociales. Les mieux nantis cherchent à se distinguer de leurs semblables et exigent en tout la différence. Les comportements sociaux changent aussi. Le début du XIXe siècle a déjà commencé à se démarquer en remettant en

*Cette grande
porte sépare
le salon du
vestibule dans
une maison de la fin du XIXe siècle,
à Cookshire dans les Cantons-de-l'Est.
L'esprit du décor est victorien.*

question le rôle des pièces dans la maison. Cette possibilité pour les occupants de se retrouver dans des espaces ayant une affectation précise correspond en même temps à un besoin d'individuation et, par le fait même, à un désir de s'éloigner des autres pour profiter d'une intimité. La société victorienne poursuit cette évolution individualiste et va la conduire à maturité.

Les changements apportés à l'aménagement intérieur varient également en fonction des modèles architecturaux. La petite maison vernaculaire n'abandonne pas facilement sa forme traditionnelle et son plan intérieur pendant cette période continue de respecter la même répartition verticale et horizontale des pièces apparue au cours de la période néoclassique. Tout au plus peut-on remarquer des pièces plus nombreuses et encore plus différenciées. Quant au décor et à l'ornementation, ce ne sont pas tant les nouveaux éléments qui la composent que la modification de leur forme qui va amorcer un courant nouveau. Des moulures, des chambranles et des manteaux de cheminées se modifieront, créant un nouveau vocabulaire décoratif. Cette observation vaut notamment pour les maisons marquées du sceau du style Second Empire, même si l'apparition du toit français et, par le fait même, d'un étage profitant d'une bonne hauteur et entièrement subdivisé en plusieurs pièces, constitue en soi une nouveauté notable. *La maison de mademoiselle Bernard* en est un bel exemple.

En revanche, le plan et le décor des luxueuses maisons bourgeoises porteront beaucoup plus nettement l'empreinte du Victorien. Il ne faut donc pas se

*Petit intérieur rustique
d'une maison de colon
de la région de Lacolle,
au sud de Montréal.
La rusticité est rendue par le caractère brut des
madriers du plancher, par les murs enduits de
chaux et par les madriers du plancher du grenier
laissés à leur couleur naturelle, et supportés
par des solives brutes.*

surprendre de l'importance grandissante de certaines pièces et de l'apparition de nouvelles. La confirmation de la salle à manger dans son rôle de lieu de réception traduit l'une des plus brillantes conquêtes de l'étiquette à cette époque. Apparaissent en outre les antichambres, les bureaux ornés de leurs vastes bibliothèques intégrées au mur, les boudoirs, les fumoirs, les garde-robes, la grande dépense, une pièce munie de tablettes où on range les provisions de table, et d'autres encore, témoignant de l'aisance financière du propriétaire.

Cette spécialisation des pièces, consécration de leur utilité propre, est l'apport le plus remarquable du Victorien. À cette spécialisation se juxtapose une hiérarchisation de leur importance, que signale leur vocabulaire ornemental. La salle à manger et le salon, situés au rez-de-chaussée, donc accessibles aux visiteurs, impressionneront par leur décor élaboré. D'autres pièces, plus privées, seront plus sobres. De façon générale, le luxe du décor favorisera d'abord le rez-de-chaussée, puis les pièces situées à l'étage et enfin les pièces arrières, souvent plus fonctionnelles, destinées aux services et à la cuisine. Tout nouveau et devenu essentiel dans une société aux mœurs plus complexes, le hall d'entrée, pièce d'introduction, accueille les visiteurs et fait le tri : il retient les indésirables, invite les amis et convives au salon et conduit les intimes à l'étage.

Quant au décor, il est plus chargé et affiche une préférence pour les moulures lourdement ouvragées et les boiseries aux couleurs foncées. Les plafonds, qui ont

*La région de colonisation du Témiscamingue
comportait nombre de ces intérieurs de maisons
de colon, plutôt sombres en raison de la couleur
naturelle du bois
qu'on laissait sans
apprêt, qu'il s'agisse
des planchers, des
murs ou des plafonds.
Ici, la maison du colon
à Ville-Marie.*

gagné en hauteur, comportent des rosaces et le manteau de la cheminée est souvent en marbre. L'escalier principal gagne en importance : il est plus grand, plus large, plus décoré.

Les fenêtres, jusque-là avant tout fonctionnelles, deviennent l'un des pôles d'attraction de l'aménagement intérieur, celui vers lequel convergent tous les regards, au même titre que la cheminée. Ces fenêtres gagnent en dimensions, adoptent une forme arrondie dans leur partie supérieure, ou se juxtaposent pour former une grande fenêtre ou une fenêtre en baie *(bay window)*. Elles sont décorées de doubles rideaux, abondamment chargées de motifs divers, surtout floraux. Aux rideaux et voilages en dentelle se superpose la cantonnière à côté de laquelle de gros glands achèvent de leur donner un aspect théâtral.

Les intérieurs frappent par leur ambiance feutrée et sombre. Les couleurs de l'ombre, le tabac foncé et le noir, sont à l'honneur. L'accent est mis sur les agencements de couleurs et de textures où dominent les textiles, les papiers peints et les tissus d'ameublement. Toutefois, à la fin de cette période victorienne, les couleurs ont tendance à pâlir, on remarque des jaunes dorés, du vert jade et des jaunes clairs.

Dans ce décor, le mobilier est lourd, le plus souvent sculpté. L'acajou est très populaire. Les tables sont recouvertes de nappes en dentelle où sont déposés des plateaux fleuris. On observe un foisonnement d'objets collectionnés, les gens de la

La cuisine d'une petite maison de colonisation du début
du XXe siècle, à Guérin au Témiscamingue. On y voit une
armoire de cuisine avec son évier et sa pompe, et une autre
formant un support sous la masse de la
cheminée en brique. Les planchers, les murs
et les plafonds sont formés de planches
étroites, des meubles très simples y sont
disposés, évoquant un grand dénuement.

société victorienne aimant donner des preuves qu'ils ont voyagé ou, à tout le moins, qu'ils portent un regard attentif sur le monde. Les moulures sculptées, les appliques murales, les gros chandeliers, les bustes en plâtre ou en bronze, les boîtes décoratives souvent laquées, les porcelaines et l'argenterie, tous ces objets qui sont des marques de richesse et de raffinement sont placés bien en évidence.

Là aussi, les exemples de maisons choisies pour illustrer cette période sont nombreux. À Cap-Santé, une petite maison d'influence Second Empire, *La maison de mademoiselle Bernard,* montre un petit intérieur bourgeois des années 1880 judicieusement redécoré dans le respect des caractères d'origine. Dans la Beauce, les propriétaires de *La villa Pimbinas* ont meublé et décoré avec originalité un intérieur des années 1890 à l'aide d'une variété d'objets et de meubles achetés au cours de leurs pérégrinations. Cas plus rare, *La maison Colby-Curtis,* située tout à côté de la frontière canado-américaine, à Stanstead plus précisément, apparaît comme un exemple éloquent de maison victorienne luxueuse, qui plus est, avec une collection de meubles *in situ.* La fin de la période victorienne avec son éclectisme trouve son illustration dans *La maison de Wilfrid Laurier,* à Arthabaska.

LES MAISONS DE COLONISATION
La simplicité involontaire

Les progrès réalisés au cours de la période victorienne ne doivent pas faire oublier la persistance d'intérieurs très modestes, lot des plus démunis, des défri-

*Un escalier du début du XXᵉ siècle dans une maison
de villégiature, à Sainte-Agathe dans les Laurentides.
Sur les murs blancs se détachent les éléments fonctionnels
en menuiserie, qui ont été dessinés
dans l'esprit du mouvement
Arts and Craft, américain.*

cheurs de nouveaux territoires, des colonisateurs ou des simples travailleurs. Ces intérieurs persisteront jusqu'au milieu du XXᵉ siècle, notamment en Abitibi et au Témiscamingue.

Ces habitations aux petites dimensions ou même très réduites, qu'elles soient des habitations temporaires, des maisons de colons du tournant du siècle ou des maisons dites de colonisation dirigée, sont construites en pièces ou en colombage. L'intérieur comporte un rez-de-chaussée avec ou sans divisions et des chambres à l'étage. Les murs restent bruts ou présentent un recouvrement de petites planches à peine moulurées fixées sur les colombages. Ces petites planches, nouveau produit des moulins à scie qui se sont répandus sur le territoire, sont la marque distinctive de ces maisons de colonisation. C'est à peine si on leur ajoutera une petite plinthe et une moulure de coin, accordant une touche de finition à ce lambrissage dénué de fantaisie.

C'est dans la cuisine que l'on découvre l'un des traits marquants de ces humbles demeures. La souche de cheminée repose sur une sorte de boîte en bois formée de madriers. Un orifice circulaire a été creusé dans la brique pour accueillir le tuyau de métal de la cuisinière. Des armoires très rudimentaires en planches de bois, un évier doublé de métal et une pompe à eau complètent cet intérieur modeste.

La simplicité des maisons de colonisation est bien illustrée par les deux intérieurs que nous avons choisi de présenter, l'un situé en Beauce, l'autre près de Shawinigan.

LE XXe SIÈCLE
Un modernisme dicté par le confort

Si le XXe siècle apporte quelques innovations dans l'aménagement intérieur et la décoration des maisons, il se caractérise surtout par la consolidation des acquis de la fin du XIXe siècle et par la mise au point de plans types diffusés par de grandes compagnies, qui fournissent aussi divers éléments de décor intérieur comme les escaliers, les chambranles, les boiseries et les moulures.

Quels sont les modèles architecturaux en vogue à cette époque ? Le modèle architectural le plus répandu de cette période est sans contredit le Four Square américain. Il envahit l'ensemble du territoire québécois et se prête à des habillements stylistiques divers. En second lieu, le bungalow fait une apparition discrète au début du siècle, habituellement aux couleurs du Arts and Craft. D'autres modèles surgissent mais de moindre importance. Mentionnons les maisons d'influence Prairie américaine, avec un design intérieur tout à fait nouveau, et les résidences d'été d'influence américaine.

Si le Four Square américain est considéré sur le plan de l'architecture et de la construction comme une véritable innovation, son concept intérieur n'en est pas moins remarquable, en ce sens qu'il fait la synthèse de toutes les découvertes concernant l'organisation de l'espace accumulées au long du XIXe siècle. Il les réunit dans une forme aussi fonctionnelle que simple et facile à reproduire.

*Dans cette même maison du début
du XXe siècle, à Sainte-Agathe dans
les Laurentides, les portes en chêne
sont entourées de leurs chambranles. Les fenêtres
à guillotine comportent un store monté sur poulie,
qui glisse dans le mur lorsqu'on ne l'utilise pas.*

Ce modèle reprend la répartition verticale que nous connaissions, soit les espaces semi-publics au rez-de-chaussée, par exemple le salon, la cuisine, la salle à dîner, et il relègue aux étages supérieurs la majorité des chambres. La présence d'un escalier central avec hall n'est plus la règle, puisque la porte principale peut se retrouver soit au centre, soit à gauche ou à droite de la façade. Occasionnellement, une petite entrée située sur le côté de la maison procurera un accès direct à la cuisine.

La plus grande simplicité règne généralement sur l'aménagement intérieur. Les murs et les cloisons sont recouverts de planches verticales embouvetées. La mouluration se résume aux chambranles des portes et des fenêtres et aux plinthes ; on trouve également des corniches en haut des murs, au point de rencontre des plafonds. Tous ces éléments de menuiserie, incluant les châssis des fenêtres coulissantes à grands carreaux, proviennent des moulins à scie locaux.

Grâce au perfectionnement des machines à façonner le bois, tels les tours et les scies à découper, et à la production en série de fines lattes de bois franc, les parquets de merisier, de chêne et d'érable apparaissent au tournant du siècle. Les planchers ont ainsi une plus belle apparence et s'ennoblissent encore avec l'utilisation des procédés de marqueterie.

Contrairement au Four Square, le bungalow du début du XXe siècle, souvent construit dans l'esprit du mouvement Arts and Craft, introduit un nouveau vocabulaire décoratif. On retrouvera ainsi une large utilisation du « BC Fir », une planchette

de sapin embouvetée de Colombie-Britannique, dont l'importation est rendue possible grâce à l'ouverture de la ligne de chemin de fer transcontinentale en 1885.

Les portes vernies de couleurs foncées sont souvent percées et ornées de grands verres ciselés dans leur partie supérieure, ou entièrement garnies de carreaux lorsqu'elles s'ouvrent sur le salon ou la salle à manger. Les plafonds comportent des solives entrecroisées délimitant des sortes de caissons, exemples fort répandus dans les manoirs de la campagne anglaise. Les murs sont le plus souvent revêtus de plâtre ou de planchettes ou, plus rarement, de tôle embossée.

L'escalier, délimité par une ou plusieurs cloisons, est couronné d'une arche. Il est construit en bois, de préférence en pin, teint d'une couleur foncée, et la rampe s'orne de balustres fins ou de barrotins. Des tapis orientaux aux couleurs contrastantes agrémentent le tout.

Ces modèles de maisons trouvent parfois dans le foyer leur point de rencontre, un accessoire distinctif du Arts and Craft particulièrement prisé des architectes de ce siècle. En effet, le retour aux sources de la campagne anglaise prôné par le mouvement Arts and Craft incite également à un retour au mode de chauffage traditionnel, le bois, au lieu du charbon ou de l'huile. Le foyer revient donc à la mode, cette fois-ci non plus pour témoigner d'une quelconque distinction sociale, mais bien pour affirmer son penchant pour un genre de vie traditionnel jugé plus sain parce que plus étroitement lié à la nature.

*Ce type d'escalier,
propre aux intérieurs
du mouvement Arts and
Craft, est enfermé dans
une sorte de vestibule intérieur, encadré par une
grande arche composée d'un arc surbaissé, et
il est doté d'un délicat garde-corps à barrotins.*

S'ajoute à ce courant naturaliste celui plus éclectique du début du XXe siècle. Il se manifeste sous des formes stylistiques diverses et traduit encore une volonté de retour à des formes anciennes ou à des modèles architecturaux de périodes antérieures.

Toutes ces tendances du début du XXe siècle peuvent être observées dans le cottage d'influence Arts and Craft, *Un cottage inspiré de la campagne anglaise*, une maison construite dans les Cantons-de-l'Est, *La maison McAuley*, apparentée au Four Square américain, et dans une maison villageoise des années 1920, *La maison du Dr Chabot*. Quant aux manifestations éclectiques qui sont aussi la marque de cette période, elles apparaissent dans *La maison Taschereau*, à Sainte-Marie de Beauce.

Les maisons
et leurs intérieurs

La maison Saint-Gabriel

UN VIEUX LOGIS DU XVIIᵉ SIÈCLE À POINTE-SAINT-CHARLES

Située à Pointe-Saint-Charles dans l'ouest de Montréal, la maison Saint-Gabriel s'est vu attribuer cette appellation en 1930, en hommage aux pères sulpiciens qui exploitaient alors une ferme à cet endroit. Auparavant, elle a porté le nom d'« Ouvroir de la Providence ». Propriété de la congrégation Notre-Dame, un ordre religieux fondé en 1653 par Marguerite Bourgeoys, la maison a notamment servi, à partir de 1658, de lieu de résidence et de maison d'éducation aux filles du Roy, jusqu'à ce qu'elles aient trouvé mari. Bâtiment exceptionnel, édifice parmi les plus anciens de l'architecture française au Québec, la maison Saint-Gabriel recèle un intérieur unique et remarquablement bien conservé. On la considère aujourd'hui sans hésitation comme un trésor architectural.

Une première habitation, érigée sur le site acheté à François LeBer en 1668, brûle en 1693. Cinq années plus tard, on la reconstruit en conservant l'appentis et le mur mitoyen qui ont échappé à l'incendie. L'adjonction du côté ouest se fait à ce

La grande pièce qui tient lieu de salon aujourd'hui fait partie d'un corps de bâtiment ajouté au début du XIXe siècle et comporte un foyer en pierre grise. Le mobilier et les peintures font partie de la collection de la congrégation Notre-Dame. On y trouve notamment deux fauteuils Louis XIV, un fauteuil Louis XIII et une table du XVIIe siècle ayant servi de secrétaire à Marguerite Bourgeoys.

moment, soit au tout début du XVIIIe siècle, mais cette partie sera reconstruite en 1826. Depuis cette époque, l'extérieur est resté pratiquement inchangé.

À l'intérieur, quelle surprise ! On retrouve au rez-de-chaussée du corps principal une grande salle commune qui communique avec les deux adjonctions est et ouest et une cuisine. Les planchers sont en pin et les plafonds également en pin sont supportés par de grosses poutres. De nombreuses fenêtres fermées par des volets à panneaux et les portes d'assemblage contribuent à donner une atmosphère de vieille France. Un foyer construit de massives pierres brutes semble apporter une sorte de sécurité à cette vaste pièce qui a dû servir à diverses activités en plus d'être utilisée comme salle à manger. Pièce maîtresse de l'ensemble, sculptée en 1721, une immense pierre d'évier noire faite de calcaire, avec son conduit d'égouttement fermé

La vaste salle,
utilisée comme
réfectoire et
occupée par de
grandes tables
et leurs chaises,
est éclairée par
de larges fenêtres
à deux battants.
Le côté opposé de
la même pièce
(à droite), est orné
de fenêtres fermées
par de magnifiques
volets à panneaux.

À l'étage d'une adjonction latérale en pierre ayant échappé à
l'incendie de 1693, une petite chambre est garnie d'un lit à baldaquin,
d'une chaise en bois et d'une armoire à panneaux.

En haut à droite, on apprécie l'ambiance feutrée de ce coin de pièce
où trônent un fauteuil dit « os de mouton » et une commode galbée.

par un bouchon de bois. Par sa forme inusitée et sa couleur peu commune, il relève
autant de l'objet fonctionnel que de l'œuvre d'art.

Fait à noter, cet évier a un frère tout proche dans la cuisine. Dans cette grande
pièce qui fait toute la largeur de la maison, se trouve aussi une pierre, encore plus grande, munie d'un prolongement en pierre sculpté à même le bloc initial extérieur pour
l'égouttement. Là aussi, un immense foyer, équipé de tous ses accessoires, rappelle
les conditions rudimentaires dans lesquelles devait se faire la préparation des repas. À
l'étage, une petite chapelle et un dortoir complètent les espaces fonctionnels de la
partie ancienne, auxquels s'ajoute la chambre des filles du Roy dans l'adjonction est.

Pour couronner le tout, une charpente, chef-d'œuvre d'un maître constructeur, offre au regard ébahi une étonnante forêt de pièces de bois de frêne et de

L'espace cuisine occupe une salle allongée qui traverse le bâtiment sur toute sa largeur. S'y trouvent les deux accessoires encore essentiels aujourd'hui : la grande pierre d'évier, sous la fenêtre, et le foyer pour la cuisson des aliments, garni de divers accessoires tels la potence et la crémaillère, les chenets, la broche à rôtir, les pelles à feu, marmites, chaudrons, soufflet, ainsi que la balance.

Regroupés à l'étage dans un petit dortoir, les lits à baldaquin sont alignés les uns à côté des autres dans un ordre parfait. À leur extrémité, on peut voir un coffre dans lequel sont entreposés quelques effets personnels comme en auraient possédés les occupants. La reconstitution précise de cet ensemble s'appuie sur un inventaire datant de 1722.

Une petite porte percée dans le mur pignon réunit le corps principal à l'adjonction latérale en pierre.

Le doux éclairage naturel des fenêtres à deux battants met en évidence la qualité de la menuiserie intérieure de la maison, avec ses volets et ses battants de porte d'origine à panneaux d'assemblage.

La charpente du toit, construite à la fin du XVIIe siècle, est un véritable achèvement dans l'art de la charpenterie. Une forêt de fermes, de poinçons, d'esseliers et de chevrons s'aligne dans un ordre impeccable. Il s'agit là de l'une des plus belles réalisations du genre au Québec.

Une charpente, chef-d'œuvre d'un maître constructeur, offre au regard ébahi une étonnante forêt de pièces de bois de frêne et de chêne réunies dans un assemblage savant et bien structuré.

chêne, de dimensions et de longueurs différentes, réunies dans un assemblage savant et bien structuré. Il y a là quelque chose qui rappelle la majesté des grandes cathédrales, mais à une échelle éminemment plus modeste.

Si cette maison nous est parvenue si bien conservée aujourd'hui, c'est grâce aux sœurs de la congrégation Notre-Dame, qui l'ont soignée et entretenue à travers les siècles. Chaque parquet, chaque volet, chacun des éléments qui composent la menuiserie semble avoir été traité avec un luxe de soins, nettoyé et frotté, poli consciencieusement, patiemment, pour finalement conserver la patine que l'on peut lui voir aujourd'hui. L'ensemble de la maison a fait l'objet, en 1964-1965, d'une restauration minutieuse qui a mis en évidence tous les éléments d'origine de cette magnifique réalisation architecturale de la fin du XVIIe siècle.

Le manoir Charleville

**UNE ANCIENNE
DEMEURE
SEIGNEURIALE
SUR LA CÔTE
DE BEAUPRÉ**

É rigé sur une pente du contrefort laurentien sur la côte de Beaupré, le manoir Charleville surplombe le fleuve et l'île d'Orléans dans toute leur majesté. La vue magnifique qu'il propose nous rappelle que c'est précisément ce paysage qui s'offrait au regard du général Wolfe lorsque ce dernier s'est installé non de loin de là, à proximité de la chute Montmorency, pour surveiller la ville et les environs, peu avant d'attaquer Québec.

Le manoir Charleville, même si ce titre envié lui convient parfaitement, a l'apparence d'une simple maison. Il est construit sur une ancienne terre domaniale qui a été concédée vers 1654. La mise en valeur de cette terre débute en 1660, au moment où Charles Aubert de la Chesnaye en devient le propriétaire. Rappelons que ce personnage hors du commun est un riche commerçant de la Nouvelle-France qui possède une dizaine de seigneuries. En 1677, il obtient l'autorisation de Mgr de Laval, alors seigneur de Beaupré, de faire de sa propriété un fief qui va lui conférer le statut de manoir.

Le confort, le bien-être et l'amour du quotidien ont imprégné cette grande salle aux riches couleurs de bois naturel. Les murs extérieurs, peints en blanc, reflètent une douce lumière apportée tant par les fenêtres à deux battants que par l'éclairage d'un lustre et de deux lampes qui empruntent plusieurs styles. Une petite porte conduit des chambres du rez-de-chaussée à la grande salle (ci-haut).

Dans la pièce, on peut voir un piano ayant appartenu à la famille Aubert de Gaspé, fabriqué à Stuttgart au milieu du XIXe siècle, une grande armoire dite «à pointes de diamant», un fauteuil dit «os de mouton» et un fauteuil Louis XIII.

511 *Le manoir Charleville*

En contrebas de l'avenue Royale, la construction en pierre du manoir Charleville s'allonge sur 19 mètres. Les circonstances de sa construction sont connues, quoique plusieurs dates demeurent incertaines, le bâtiment ayant été érigé en plusieurs étapes au cours des ans. Grâce à des documents anciens, nous savons qu'il existe sur le lot, en 1677, un petit corps de logis. Mais en 1729, celui-ci prend de l'ampleur et se voit doté d'un bas-côté. Se succèdent ensuite deux agrandissements, l'un du côté est, qui va inciter à doubler la dimension du foyer et à prolonger la toiture, et un autre qui va provoquer l'abattement du mur du côté ouest.

En 1965, à une époque où la restauration d'une maison ancienne apparaît comme une initiative bizarre et son restaurateur un original, Pierre Cantin et son épouse Annie tombent amoureux de cette maison et l'achètent. Architecte de formation, le

*Une porte mène
de la grande salle
aux chambres.*

*Le foyer principal et son âtre occupent le centre de la grande salle du rez-de-chaussée.
Un imposant chaudron de fer est suspendu à une potence en bois. Divers accessoires
entourent le foyer: chaudrons, poêles, marmites, un berceau, ainsi que des bombes et
des boulets de canon laissés sur le terrain au moment de la guerre de Conquête. Sont
accrochés sous la corniche une lampe à huile, des poêles, une gerbe d'ail et de houblon,
et une bassinoire pour chauffer le lit.*

Située à l'extrémité de la maison, une petite chambre rend bien compte de l'exiguïté des espaces privés. Les ornements architecturaux sont très simples : planchers de madriers, murs recouverts d'un enduit blanc et plafonds de planches avec couvre-joints. Dans cette pièce aux objets décoratifs multiples domine un lit à colonnes. Au fond, accroché au mur, le portrait de Peter Patterson, propriétaire de l'usine du même nom, sise aux pieds de la chute Montmorency.

L'espace cuisine, qu'on aperçoit ici au fond à gauche, a été réduit à sa plus simple expression : c'est un espace de type corridor dissimulé derrière une cloison de planches embouvetées. Différents accessoires, dont un poêle à deux ponts, y ont été disposés. À droite, adossé au mur, un lit en érable de la période victorienne du milieu du XIXe siècle.

Sur une commode, un soulier de maîtrise, en bois, confectionné par un cordonnier de Deschambault. Il est accompagné d'une paire de petites bottines de toilette datant du début du XXe siècle, ornées de perles, fabriquées à Paris et achetées à Montréal.

55 | *Le manoir Charleville*

Quoi de mieux que la simplicité et la régularité des objets fonctionnels anciens pour rappeler à notre mémoire un mode de vie idéal ! Ici, des chandelles et leur moule.

L'éclairage de la cuisine est un simple jet de lumière que fournit une fenêtre dont profitent quelques plantes déposées sur une tablette de bois. Au pied de la fenêtre, des paniers en osier dont un servait à la cueillette des pommes de terre à l'île d'Orléans. Le long du mur, on aperçoit un mobilier et plusieurs accessoires de cuisine variés.

nouveau propriétaire a compris immédiatement que les modifications indésirables qu'a subies la maison l'ont passablement dénaturée. Il entreprend donc des travaux pour lui rendre son âme. En supprimant le pignon ajouté au mur ouest, il va permettre au toit de retrouver sa forme originale, avec sa croupe.

L'intérieur est remis en état avec minutie et tous les éléments d'origine encore présents sont conservés. Amateurs de meubles et d'objets anciens, Annie et Pierre redonnent aux espaces une chaleur paysanne qui s'inspire des habitations européennes. Le rez-de-chaussée se compose d'une grande salle commune, d'un foyer, et de quelques chambres. À l'étage, les combles offrent un grand espace ouvert qui évoque un temple profane en raison de cette atmosphère recueillie qu'on y respire et de cette omniprésence du bois qui compose la charpente, le plancher et la toiture.

Quelques bâtiments, dont cette ancienne grange-étable, ont été sauvés par le propriétaire et transportés sur le site. L'un d'eux est encore recouvert de chaume (à gauche). Ne vous avisez pas d'approcher trop près du poulailler : ce gros coq blanc règne en maître et assure avec courage la protection de son cheptel (à droite).

L'étage des combles, une forêt bien fournie plantée de pièces de charpente, mais aussi un grenier aux trésors propre à faire rêver les nostalgiques, avec ses nombreux meubles, ses accessoires liés aux activités domestiques quotidiennes et ses animaux de collection disséminés.

Sur le terrain, quelques bâtiments secondaires témoignent de la passion de Pierre pour les constructions traditionnelles. Une grange et un hangar en pièce sur pièce, tous les deux acquis et amenés par lui sur le site il y a plusieurs années dans le but de les sauver d'une éventuelle démolition. Pendant longtemps, le toit de chaume de la grange a constitué un repère unique dans le paysage local.

Encore aujourd'hui, le manoir Charleville constitue un repère visuel renommé de la côte de Beaupré et nous rappelle les débuts de l'engouement pour le patrimoine rural québécois.

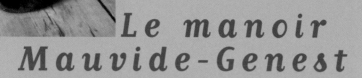

Le manoir Mauvide-Genest

UNE HABITATION SEIGNEURIALE FRANÇAISE À SAINT-JEAN DE L'ÎLE D'ORLÉANS

La restauration scientifique du manoir Mauvide-Genest nous permet-elle de croire aujourd'hui en l'aboutissement d'un travail qui aura nécessité de nombreuses étapes, longues et difficiles? Peut-être. Quoi qu'il en soit, l'histoire de ce magnifique bâtiment construit à l'époque du régime français nous rappelle à quel point le travail peut être long avant qu'un édifice aussi exceptionnel puisse être entièrement restauré et devienne accessible à la collectivité.

Même la construction du manoir, en réalité une sorte de gentilhommière comme on en voit plusieurs dans les provinces françaises, se fait par étapes. Jean Mauvide, né à Tours dans le Val-de-Loire, arrive à Saint-Jean de l'île d'Orléans en 1721. Douze années plus tard, il épouse Marie-Anne Genest. Chirurgien, marchand et seigneur, il pratique son premier métier à Saint-Jean à partir de 1726. Propriétaire terrien dès 1734, il s'engage en outre dans le commerce avec les Antilles et possède son propre navire, ancré à Saint-Jean. Au milieu du XVIIIᵉ siècle, il achète la moitié de la seigneurie de l'île d'Orléans, accédant ainsi au rang de seigneur.

L'intérieur du manoir Mauvide-Genest, une reconstitution faite dans un esprit scientifique, est fondé sur une interprétation rigoureuse des vestiges retrouvés sur place et sur l'utilisation du mobilier et des objets en usage au milieu du XVIIIᵉ siècle. En haut à gauche, une chambre avec son lit fermé d'un grand rideau de lin (chambre dite des filles). En dessous, une autre grande chambre (dite des garçons) et, à droite, un coin de travail avec une petite table, des chaises et un chandelier.

Dans un coin
de la cuisine,
un garde-manger
à deux battants
dont les panneaux
supérieurs sont
grillagés afin
d'assurer
l'aération. Les
planchers sont
en madriers larges.
Au sommet de
la fenêtre, un
palétrage assure
une belle finition
à l'embrasure.

Dans la plupart
des habitations
bourgeoises
françaises des
XVIe, XVIIe et
XVIIIe siècles,
la circulation
se faisait
par enfilade
tout autour
du bâtiment, ce
qui explique ici
cette succession
de portes
donnant accès
aux chambres.
Les couleurs,
étonnantes par
leur diversité, sont
celles d'origine.

Le manoir se construit en plusieurs phases : un premier corps de logis prend forme en 1734-1735, qui sera augmenté d'un étage vers 1740. On procède ensuite à un allongement du carré initial, à l'ouest, qui confère à l'habitation la silhouette que nous lui connaissons aujourd'hui. À l'intérieur, l'organisation de l'espace est typique des maisons françaises de l'époque. On n'y trouve pas de hall central, pas de couloir, mais une série de pièces en enfilade : des salles, des antichambres, des chambres et des cabinets se succèdent. Pour aller d'une pièce à l'autre, il faut traverser chacune.

Le manoir change de propriétaire à quelques reprises. Un menuisier-cultivateur l'acquiert en 1831. Son fils le rénove après 1874 et en fait un logement pour plusieurs familles. Un changement significatif survient en 1926, lorsque le

651 *Le manoir Mauvide-Genest*

La grande cuisine, une pièce qui servait à
de multiples fonctions outre la préparation
des aliments, comporte une table et des petites
chaises dont le modèle est considéré comme propre
à l'île d'Orléans. À l'arrière, un lit à colonnes avec
ses rideaux de lin, un baudet muni de sa toile
et de ses boutons de cuivre, une sorte de lit pliant,
et le garde-manger.

Dans la chambre de l'ancien propriétaire,
le lit à colonnes, en noyer, est fermé par un tissu
de serge. Au mur, la reproduction d'une tapisserie
française du XVIIIᵉ siècle d'Halluin, d'après un
modèle d'Aubusson dans la série des verdures fines,
représente un paysage du Laugarais. Sur le grand
coffre, est déposé un coffre plus petit en loup-marin.
On a retrouvé, sur les plafonds de cette partie de
l'édifice, la couleur bleue d'origine.

Dans la cuisine, un foyer de pierre taillée muni de ses accessoires :
potence et crémaillère, chenets, marmites, chaudrons, louches, passoires et poêles.
Accrochée au plafond, une crêpière en fer du XVIIIe siècle.

Sur un billot à hacher, quelques accessoires que l'on utilisait quotidiennement :
des écuelles à oreilles, un couteau, une grande cuillère et un pot à eau.

juge J. Camille Pouliot, un descendant de la famille Genest, l'achète et procède à une restauration partielle. Il l'agrandit en 1929 par l'adjonction d'une cuisine d'été au nord et d'une petite chapelle à l'est, et y installe un musée. Cédée à son héritier, la maison devient ensuite un restaurant.

Ce n'est qu'en 2000 que le manoir passe aux mains de la Société de développement de la seigneurie Mauvide-Genest, qui procède à sa mise en valeur. Examiné sous toutes ses coutures par des spécialistes de la conservation, analysé jusque dans les différentes couches de peinture qui l'on recouvert, restauré sous la direction d'un architecte, le manoir retrouve à peu près son état d'origine. Il s'agit d'un exemple parfait de restauration scientifique telle que l'on a pu la faire à l'aube du troisième millénaire.

Dans l'angle
d'une chambre
se dresse
une armoire
à panneaux.
Sur la tablette
de la fenêtre,
on aperçoit
un chandelier.
Le plafond
conserve sa
couleur blanche
d'origine, alors
que le mur
du fond a
été peint de
jaune clair.

Confort d'une
autre époque...
une paire de
souliers, sorte de
savates en cuir,
repose à côté
du coffre de
la chambre de
Jean Mauvide.

La collection de mobilier et d'accessoires *in situ* n'étant pas suffisante, on doit combler notamment par des achats de répliques ou par des commandes spéciales à des artisans reconnus.

On fait aussi appel à la riche collection du musée de la Civilisation. Ainsi, le manoir présente-t-il aujourd'hui avec éloquence l'image d'un intérieur bourgeois du milieu du XVIIIe siècle dans tous ses détails.

À l'intérieur, l'organisation de l'espace est typique des maisons françaises de l'époque. [...] Pour aller d'une pièce à l'autre, il faut traverser chacune.

La maison
des Imbeau

UNE CHAUMIÈRE
ORLÉANAISE DU
XVIIIᵉ SIÈCLE FACE
AU CAP TOURMENTE

Dans un admirable petit pré, à l'extrémité est de l'île d'Orléans, à Saint-François plus précisément, se niche une maison tout aussi admirable. Devant elle s'étale la nature dans toute son immensité : le large fleuve, l'immense chaîne des Laurentides, l'imposant cap Tourmente, le ciel...

C'est en chinant dans les environs pour trouver des antiquités que Diane et Jacques découvrent en 1990 la maison des Imbeau, du nom de ses premiers propriétaires. La propriété vient d'être mise en vente. On leur a parlé en bien de cette maison qui appartient alors à la famille Guimont. Une simple visite sera le début d'une belle aventure. L'ampleur du site, les vieux murs de pierre recouverts d'un toit pentu et, à l'intérieur, cette atmosphère propre aux vieilles chaumières les conquièrent entièrement. Ils ne sentent pas le besoin de réfléchir longtemps avant de procéder à l'achat de ce joyau. Seulement quelques travaux sont nécessaires pour la mettre en état, une première restauration ayant été réalisée au cours des

La porte principale donne accès à une grande salle avec foyer dont on se servait jadis comme cuisine d'été. On y trouve un banc-lit et plusieurs fauteuils et berceuses, en plus de la cheminée équipée d'une potence et de divers accessoires dont une marmite, une pelle à four, un soufflet, des pincettes et un tisonnier. À droite du foyer se trouve le four à pain sur lequel on voit une collection de cruches.

Une atmosphère quasi médiévale s'est insinuée dans cette ancienne maison paysanne, où la nudité des murs de maçonnerie chaulée évoque l'esprit dépouillé des anciens monastères.

années 1970. Ils réparent quelques fenêtres, font recouvrir la toiture de cèdre et réparent la souche de la cheminée. Depuis, ils profitent du bonheur de vivre à la campagne, de goûter le rythme des saisons, de cultiver fruits et légumes, et de prendre leur temps.

La maison des Imbeau n'a pas encore révélé tous ses secrets, mais on pense en connaître l'essentiel. La moitié est de l'habitation constituerait le carré original construit au XVIIIe siècle alors que la partie ouest serait un prolongement construit au début du XIXe siècle. Aujourd'hui, l'effet est frappant. On entre dans une maison dont le rez-de-chaussée comporte deux grandes salles. Au centre trône un immense foyer équipé d'un four à pain. Tout est dit sur la vie quotidienne des premiers occupants, axée sur les saisons, le travail de la terre et la transformation

Cette grande salle dite d'hiver, parce qu'il semble que les premiers occupants y aient concentré leurs activités durant la saison froide, est garnie d'un mobilier éclectique. Celui-ci se compose des héritages familiaux des anciens occupants ainsi que de pièces achetées chez des antiquaires. Au centre, un magnifique poêle à deux ponts des forges du Saint-Maurice.

[...] les planchers de madriers bruts, les murs de pierre aux enduits grossiers, les poutres et madriers tenant lieu de plafond et la faible hauteur des deux salles nous rappellent les conditions de la vieille paysannerie française.

Suspendus au plafond, divers accessoires rudimentaires
dont une balance, des chandelles et des harnais.
La peinture des solives a été enlevée et les surfaces
enduites de cire.

L'une des deux petites chambres des combles donnant sur la salle de séjour. L'ensemble de leur cloisonnement est récent, mais les matériaux et les techniques utilisés sont traditionnels.

À l'étage des combles, une grande pièce servait à la fois de chambre et de séjour. Tous les planchers sont faits de madriers de bois. Au milieu de la pièce, déposée sur le sol, une somptueuse peau de bison.

Rare élément de confort encore existant dans une maison traditionnelle, le lit-cabane, un espace cloisonné de planches verticales embouvetées, a été adossé à la cheminée centrale, sans doute dans le but de profiter de la chaleur que procure la masse de maçonnerie du conduit de cheminée.

patiente de ses fruits. Ici, le matériau est à peine transformé. Même les planchers de madriers bruts, les murs de pierre aux enduits grossiers, les poutres et madriers tenant lieu de plafond et la faible hauteur des deux salles nous rappellent les conditions de la vieille paysannerie française. Car paysan est vraiment le meilleur qualificatif pour décrire l'aspect modeste de cette maison.

Il a tout de même fallu, pour la rendre plus habitable, y faire quelques modifications. Ainsi, la partie des combles, à l'origine destinée à l'entreposage, a été réaménagée pour y faire des chambres. L'escalier-de-meunier menant à l'étage a été conservé. Et une véritable rareté subsiste : un lit-cabane construit en planches et muni d'une porte pour se protéger du froid et des regards semble avoir constitué la première étape d'occupation des combles, à l'origine inhabités. Ce lit

Une atmosphère sombre règne au grenier, où les surfaces de bois brut absorbent
les rayons lumineux et ne laissent place qu'à une faible lumière jaune.
Une petite maison de pièces a été déménagée sur
le site et fait office de résidence pour les invités.

fermé se blottit contre la masse de la cheminée centrale et nous rappelle le confort bien élémentaire qui avait cours à une autre époque !

Si la maison est exceptionnelle, le site l'est tout autant, offrant une vue
remarquable sur le fleuve et sur le cap Tourmente. L'aménagement du terrain relève
du grand art ; en outre, un bel étang jouxte la maison du côté est. Quelques bâtiments secondaires servent à l'entreposage. Une jolie maisonnette, frappante de
blancheur, a été transportée sur ce site enchanteur et sert de résidence aux invités.

Ajoutez à tout cela des arbres, des massifs de fleurs, des clôtures de
perche, d'immenses pierres plates pavant l'accès à la maison et vous avez tous
les ingrédients, simples mais ô combien évocateurs, d'un joli coin de paradis sur
la belle île d'Orléans !

83 | *La maison des Imbeau*

Une maison face
à la majesté du fleuve

**INTÉRIEUR
ORLÉANAIS
DES XVIIIᵉ ET
XIXᵉ SIÈCLES**

Après avoir abrité plusieurs familles de la région de Québec à partir de la
fin du XVIIIᵉ siècle, cette maison abandonnée fut ressuscitée par de nouveaux propriétaires épris de patrimoine québécois.

On sait qu'au milieu du XVIIIᵉ siècle, la déportation acadienne a entraîné
l'établissement de plusieurs familles dans la vallée du Saint-Laurent, notamment
dans la région de Québec. La rumeur veut que la maison ait d'abord été habitée
par des Acadiens, mais rien n'a été confirmé. Par contre, il apparaît beaucoup
plus certain que sa construction date de la seconde moitié du XVIIIᵉ siècle. Par la
suite, elle a été la propriété de la famille Roy pendant presque la majeure partie
du XIXᵉ siècle, puis c'est la famille Asselin qui va l'habiter à partir de 1895, et ce
pendant plus d'une moitié de siècle.

Au cours des années 1970, abandonnée aux intempéries, elle défie le
sort et les éléments pendant une vingtaine d'années jusqu'à ce qu'un passionné

Une imposante cuisinière au bois trône au centre de la cuisine. C'est le modèle « Petit Royal » de Bélanger, orné de magnifiques tuiles de fond au motif de roses, datant du début du XXe siècle. Son conduit mène directement dans la masse de la cheminée centrale, dont la présence est soulignée par le blanc de son enduit de maçonnerie.

la découvre. Séduit par son cachet d'authenticité, son présent propriétaire l'achète sans hésitation. La maison est à toutes fins utiles démontée complètement, les planches et les pièces sont numérotées, tout comme les pierres de la cheminée, et l'ensemble est remonté. Le site, magnifique, fait face au fleuve et à la côte de Bellechasse.

Tout est ensuite rigoureusement remis en place. Les murs, les planchers, les plafonds et les cloisons sont remontés et la maison retrouve son aspect d'origine. Nous sommes devant un chef-d'œuvre de patience que seule une grande passion pour l'architecture ancienne peut expliquer. Des armoires encastrées dans les murs, un élément architectural que l'on retrouve habituellement dans les maisons de pierre, ont été découvertes lors d'un curetage complet de la structure, conservées

Cet ensemble où règne une harmonie de couleurs et de matériaux baigne le plus souvent dans la belle lumière qu'offrent généreusement les nombreuses fenêtres de la maison.

La salle de bains a été aménagée dans une petite pièce du rez-de-chaussée. Une baignoire dite « romaine » fabriquée vers 1880-1890, en tôle galvanisée, à pattes de fonte et couronnement en chêne, provient du manoir seigneurial de Beaumont. Au mur, un vantail de menuiserie cache une armoire encastrée, élément architectural d'origine dont on retrouve trois autres exemples dans la maison.

Le foyer principal, au centre, est en maçonnerie brute et surmonté d'une grosse poutre faisant office de linteau. Des accessoires de cheminée, dont quelques trépieds, sont disposés de part et d'autre de l'âtre à côté d'une grande potence en bois. Les boulets ont été retrouvés sur le terrain.

et remises en état, et dotées de vantaux anciens. Même les châssis, qu'on avait divisés en six carreaux, sont rétablis selon leurs anciennes répartitions, et restitués en carreaux de six pouces et demi sur sept pouces et demi. Le magnifique escalier qui conduit au grenier, un ajout probable du XIXe siècle, a été démonté et remonté avec soin. Les couleurs les plus anciennes ont été analysées et reproduites avec la plus grande précision à partir des palettes de couleurs contemporaines. Seul vrai compromis à ce modèle d'authenticité, le grenier a été réaménagé au moyen de cloisons en vieux bois qui ont été mises en place afin de subdiviser l'étage en deux chambres.

L'extérieur de la maison a été soumis au même traitement rigoureux. Les bardeaux du toit, en bois, ont été chanfreinés. Les planches de recouvrement

Une maison face à la majesté du fleuve

*Une chambre a été aménagée
à l'étage sous la mezzanine.
Sur la corniche, au-dessus du lit
et sur l'armoire, des sculptures
animalières et, au-dessous,
un tapis crocheté provenant
de Saint-Jovite et montrant
une scène d'hiver. Le couvre-lit,
à pointes folles, provient de la
Nouvelle-Écosse.*

*Le rangement fait souvent problème dans une maison ancienne.
Ici, une garde-robe, aménagée dans une cloison de menuiserie,
est fermée par deux grands vantaux d'assemblage entourés de
leurs chambranles.*

*L'une des chambres a été aménagée au-dessus du niveau du
premier faux-entrait de la charpente. Des couleurs pâles renforcent
la luminosité d'un espace peu favorisé par la fenestration.*

des murs, à l'exemple des anciennes planches coupées à la scie à châsse, ont été débitées avec une lame droite et conservent un gros bout et un petit bout, tout comme les pièces qui proviennent du sciage du tronc.

Sur le terrain se trouvait un fournil. Qu'à cela ne tienne ! Lui aussi a fait l'objet d'une complète restauration. C'est aujourd'hui un atelier où sont effectués les travaux de menuiserie.

Le résultat final est saisissant. Ce qui frappe au premier coup d'œil, c'est le soin méticuleux apporté au décor et à l'aménagement des lieux. Cet ensemble où règne une harmonie de couleurs et de matériaux baigne le plus souvent dans la belle lumière qu'offrent généreusement les nombreuses fenêtres de la maison. L'aménagement intérieur est évidemment celui d'une maison de campagne, mais il

Dans le cadre de la restauration de la maison, toutes les couleurs d'origine ont été soigneusement identifiées et, soit conservées, soit minutieusement reproduites à partir de teintiers actuels. L'outarde sur le coffre a été sculptée par un artisan de Québec, vers 1940.

Dans un même souci d'authenticité, ce magnifique escalier du début du XIXe siècle, qui donne accès au niveau des combles, a été démonté et remonté au complet par son propriétaire. Il conserve sa couleur d'origine. Son large limon, constitué de panneaux d'assemblage, fait aussi office de petit garde-corps. Le dessous de l'escalier sert à remiser le bois de chauffage.

dégage une certaine distinction, sans doute en raison de la finesse de la mouluration et des détails soignés de menuiserie.

Ainsi, après avoir servi de logement et fourni réconfort à ses premiers occupants du XVIIIe siècle, puis après avoir été laissée complètement à l'abandon pendant près d'une vingtaine d'années, la maison poursuit-elle aujourd'hui son destin protecteur, celui de procurer réconfort et bonheur à ses nouveaux propriétaires.

L'étage des combles, très spacieux, a pu être divisé
en deux niveaux, l'un sous le premier faux-entrait,
occupé par un séjour et deux chambres, l'autre,
au-dessus du premier faux-entrait, occupé par une
vaste mezzanine. L'isolation, effectuée par-dessus
le revêtement de planches de la couverture, laisse
voir une magnifique charpente ornée de fermes
élaborées et de croix-de-Saint-André.

Les propriétaires, amateurs d'art populaire,
ont acquis ce petit coffre en bois peint, de facture
rustique, en provenance de Baie-Saint-Paul.
Il reprend la rosace, un motif décoratif largement
utilisé dans l'art populaire québécois.

Une maison adaptée à un relief de terrasses

UNE HABITATION PORTNEUVOISE DU XVIIIᵉ SIÈCLE

Si vous avez eu l'occasion d'observer la région de Portneuf et son relief, vous aurez sans doute remarqué ici et là la présence de terrasses naturelles, traces des retraits successifs de la mer de Champlain qui recouvrait il y a une quarantaine de milliers d'années la vallée du Saint-Laurent. Bien des villages ont profité de ces terrasses pour s'élever ici et là, profitant de ces emplacements privilégiés où la vue est souvent admirable. Cap-Santé et Neuville en sont les exemples les plus connus.

Ces importantes dénivellations n'ont pas empêché les premiers habitants de s'implanter selon des modes traditionnels de regroupement, le long des premiers chemins de communication ou de la rue d'un petit bourg. De cet attrait pour les contrastes sont nées des maisons à deux visages, l'un donnant sur la rue, l'autre sur le fleuve. Sur la rue, c'est un simple carré de maçonnerie d'un seul niveau identique à ceux des maisons de ferme, garni d'un toit pentu. Mais

Au rez-de-chaussée, une grande pièce sans cloison constitue une sorte de grand séjour abondamment éclairé par les fenêtres des façades avant et arrière. Un plancher en larges madriers peints de couleur jaune égaye cette grande pièce de la maison et donne le ton à l'ensemble du décor.

du côté du fleuve, l'aspect de l'habitation est complètement différent. Profitant de la forte dénivellation, le constructeur a dressé une haute façade de trois étages dont la blancheur éclate dans le paysage environnant !

La maison que voici comporte trois niveaux d'occupation, tous occupés et aménagés. Celui de la cave, converti en salon et en espace cuisine, celui du rez-de-chaussée, comprenant une seule grande pièce, et celui des combles, subdivisé en chambres. Son propriétaire a acheté la maison en 1984. La trouvant en mauvais état, il a entrepris de remettre en valeur les éléments les mieux conservés. Il s'est procuré de vieilles planches ou de vieux madriers pour effectuer les réparations nécessaires. Certains ont même été entièrement refaits à l'identique. Restaurateur habile, il a consacré plusieurs années à ce travail gigantesque.

1011 *Une maison adaptée à un relief de terrasses*

(page précédente)
On a choisi de relier le rez-de-chaussée et l'étage de la cave par un simple escalier tournant en métal, qui s'intègre très bien à l'esprit des lieux. Cette structure, en plus d'être légère, prend peu de place.

Conçu avec soin par le propriétaire, cet espace abrite tout simplement... une salle de lavage.

Là où il lui est apparu inutile de recréer un élément du décor ancien, sans doute évocateur mais peu compatible avec les nécessités actuelles, il a opté pour le confort et la commodité. En témoigne ce choix judicieux d'un escalier circulaire en métal qui conduit de la cave au rez-de-chaussée.

Cette maison, qui se compose de pièces largement ouvertes, a donc été repensée à la verticale. Chaque niveau se prêtant à des activités différentes, chacun apparaît dissocié des deux autres, ce qui est un avantage pour son propriétaire, un musicien qui peut y pratiquer son art !

Du côté opposé à la rue, le premier niveau donne sur un petit terrain. Arbres et plantes forment un écran opaque qui isole cet espace du domaine public et des voisins.

La cage d'escalier, dont l'éclairage est assuré par une fenêtre donnant sur le mur pignon est.

Une cheminée intégrée au mur pignon a permis de brancher dans le mur ce petit poêle à bois fabriqué aux forges du Saint-Maurice. Il a été déposé sur un carrelage de tuiles. Au mur, des poêles de fabrication traditionnelle.

La cave est au même niveau que le jardin. Les propriétaires ont choisi de lui conserver son côté rustique en ne peignant ni les poutres ni les madriers du plafond.

Toutes ces interventions minutieuses ont donc permis de conserver et de mettre en valeur cette maison dont la silhouette blanche se détache typiquement depuis deux siècles dans le paysage d'un petit village portneuvois.

Cette maison, qui se compose de pièces largement ouvertes, a donc été repensée à la verticale. Chaque niveau se prêtant à des activités différentes, chacun apparaît dissocié des deux autres [...].

La maison
Lettre-Trudel

LA CHALEUR
DES CHAUMIÈRES
À SAINT-LAURENT,
ÎLE D'ORLÉANS

Juchée sur un plateau, dominant le fleuve, la maison Lettre-Trudel occupe un bel emplacement en surplomb de la route qui ceinture l'île d'Orléans. Sa grande surface blanche surgit, le temps d'un éclair, au milieu de la densité du feuillage, et risque d'échapper à un regard peu attentif.

La maison Lettre-Trudel est à juste titre une résurgence du passé. Lorsque ses propriétaires en font l'acquisition en 1972, et cela, malgré les commentaires mitigés ou désapprobateurs de leurs proches, la maison a une tout autre apparence, elle est dans un tout autre état. Elle n'a pas système de chauffage adéquat, aucune salle de bains, sa toiture n'est pas isolée et la peinture s'en détache par plaques sur de grandes surfaces... Elle ressemble à une maison du XIXe siècle comme on en voit un peu partout dans les environs : son toit à deux versants est surmonté d'une couverture en tôle, elle est ceinte d'une grande galerie, garnie de deux fausses cheminées et recouverte de bois. Mais un examen

L'intérieur de cette maison, qui date du XVIIIe siècle, a été refait probablement dans le courant du XIXe siècle. C'est la raison pour laquelle les cloisons sont formées de petites planches, les plafonds de planches de couvre-joints, et que la fine mouluration est de style néoclassique.

Au rez-de-chaussée, la salle à manger est séparée du salon par de grandes portes vitrées qui procurent une belle luminosité à l'ensemble des pièces.

attentif en compagnie d'un architecte permet de découvrir sous ce déguisement un modèle de maison du XVIIIe siècle. De toute évidence, la charpente a été modifiée pour supporter un toit à deux versants, alors que la structure même montre l'existence de croupes aux extrémités. La décision est donc prise de remettre la maison dans son état d'origine et de lui redonner une silhouette plus conforme à sa véritable personnalité : elle sera coiffée d'un toit typique du milieu du XVIIIe siècle.

C'est ainsi que la maison reprend peu à peu son apparence d'origine, soit une seule cheminée centrale, des murs blancs, un toit avec croupes et une couverture de bardeau. En outre, elle fait l'objet de plusieurs rénovations, comme cette transformation de l'ancienne cuisine d'été en un hangar adjacent au station-

La fenêtre du
rez-de-chaussée
s'ouvre sur
la cuisine.

nement arrière. Un grand jardin, œuvre de la passion de Françoise pour le jardi-
nage, agrémente le côté ouest de la maison, ceinturé par des arbres et des arbus-
tes. Tout à côté, une petite piscine procure calme et repos aux pensionnaires
itinérants. Car il faut dire que Françoise, qui s'occupe de la maison depuis sa
restauration, a décidé d'en faire profiter ses hôtes et l'a convertie en gîte du
passant. Maintenant, la propriétaire partage avec d'autres ce cadre enchanteur.
Ce qu'elle adore avant tout ? « Profiter de la sérénité des lieux, avoir le temps,
l'été, de se laisser imprégner par les parfums du jardin et, l'hiver, par le silence
des grands espaces... »

Le décor intérieur, chaud et accueillant, conserve la majeure partie des
éléments de menuiserie du XIXe siècle, époque où des réaménagements intérieurs

Le décor intérieur, chaud et accueillant, conserve la majeure partie des éléments de menuiserie du XIXe siècle, époque où des réaménagements intérieurs importants semblent avoir été effectués.

Le matin, la lumière pénètre abondamment par les fenêtres et répand un jeu d'ombres subtil, mettant en relief des éléments décoratifs très simples.

Au niveau des combles, une mezzanine a été aménagée sous les deuxièmes faux-entraits. La couverture est isolée de l'extérieur et les planches du toit sont dissimulées derrière des panneaux de gypse peints en blanc, ce qui permet d'augmenter la luminosité.

À partir de la cuisine, un escalier étroit muni d'une petite rampe conduit à l'étage des combles.

La plus grande chambre de la maison est inondée de lumière grâce à deux belles fenêtres anciennes orientées vers l'ouest. Les meubles foncés qui se détachent sur les murs blanc crème achèvent de donner à cette pièce son atmosphère si réconfortante. La grande armoire et les portraits en médaillon sur le mur du fond sont des héritages du patrimoine familial.

L'une des deux chambres du rez-de-chaussée, dans laquelle on découvre, dans une ambiance élégante et empreinte d'éclectisme divers accessoires et pièces de mobilier.

importants semblent avoir été effectués. Aujourd'hui, la porte principale s'ouvre sur le salon, séparé de la salle à manger par des portes vitrées. L'étage a lui aussi été restauré et comprend à présent quelques chambres, une petite salle, une mezzanine sous la charpente très bien conservée.

L'aménagement intérieur tient compte de la nouvelle vocation de la maison et offre le confort aux clients du gîte. On y trouve un mobilier ancien composé de lits, de commodes et d'armoires. Ce décor respectueux du style, chaleureux et propice à la détente, convient à merveille à cette enveloppe architecturale que la maison a pu retrouver.

Le vieux presbytère de Batiscan

PLUS MAISON
QUE PRESBYTÈRE...

Le vieux presbytère de Batiscan a acquis ses lettres de noblesse lorsque, en 1933, le professeur Ramsey Traquair de l'université McGill décida de l'inclure dans une étude savante sur l'architecture traditionnelle au Québec. Depuis, sa réputation défie le temps.

Situé en retrait du village actuel de Batiscan, l'édifice est un solide témoin du premier site du noyau villageois. Il est construit en 1816 pour un curé qui ne l'occupera pas avant 1835. Trente ans plus tard, il perd sa vocation de presbytère et devient la propriété du cultivateur Joseph Deveau qui le cède ensuite à son fils. Vers 1920, Albert R. Décary l'achète et en fait sa maison d'été. Voilà encore une nouvelle destination pour ce bâtiment en bordure du fleuve, dont personne ne semble vouloir ! Pourtant, M. Décary décide en 1926 de lui apporter quelques modifications qui, par chance, n'affecteront pas l'essentiel du bâtiment : ajout de lucarnes, rétablissement des souches de cheminées et additions aux fenêtres des murs pignons.

Missel et chapelet sur un prie-dieu. Curieusement, cette résidence de campagne n'a servi de presbytère au curé de la paroisse que pendant une très brève partie de son histoire, soit une trentaine d'années.

Le plus remarquable dans toute cette histoire, c'est l'état exceptionnel dans lequel est demeuré l'intérieur du bâtiment. À peu près rien ne semble avoir changé depuis sa construction... Est-ce faute d'intérêt de ses premiers occupants ou par manque de ressources ? Quoi qu'il en soit, ces motifs ne peuvent être attribués à Albert Décary qui, au début du XXe siècle, y a aussi effectué quelques rénovations, plutôt respectueuses du bâtiment quand on les replace dans le contexte de l'époque. Toujours est-il que l'intérieur du presbytère, somme toute conforme à un intérieur de maison de la même période, dégage de prime abord une atmosphère d'authenticité remarquable, qui ne se dément pas, même après une visite attentive.

Ce qui paraît le plus étonnant a trait à la couleur intérieure dominante, celle du bois assombri par les ans. La patine du temps a fait son œuvre et nous la donne

*La patine du temps a fait son œuvre et nous la donne
à voir comme rarement il nous est possible de l'apprécier...*

Une atmosphère sombre et recueillie, créée par l'aspect patiné d'un intérieur
conçu entièrement en bois naturel, règne dans toutes les pièces de la maison.
Ici, la grande chambre. Les murs extérieurs conservent leur revêtement d'origine :
un enduit brut blanc crème que vient animer une plinthe en bois sombre.

1211 *Le vieux presbytère de Batiscan*

à voir comme rarement il nous est possible de l'apprécier... Il faut savoir qu'à l'intérieur, les éléments d'origine n'ont jamais été peints! On peut donc admirer les cloisons
réalisées à l'aide de madriers en pin embouvetés, les planchers faits de madriers, les plafonds fabriqués de planches assemblées à couvre-joint, les chambranles moulurés,
les portes d'assemblage, les moulures, les plinthes, et ainsi de suite, tous ces ouvrages
ayant été conservés dans leur état d'origine. La quincaillerie d'architecture n'est pas
en reste: pentures, gonds, charnières, crochets, clenches, loquets, poignées anciennes ornent ici et là les éléments de menuiserie.

     La maison comporte un rez-de-chaussée, un étage et un grenier. Quelques fenê-
tres conservent leurs vieux châssis et leur ancien vitrage. Les surfaces murales de maçonnerie, recouvertes d'un enduit blanchâtre, contrastent avec le brun foncé des cloisons

Une vaste pièce servant à la fois de salle
à manger et de bureau, dont on voit ici
le secrétaire. La pièce communique avec
la cuisine par une belle porte vitrée d'origine.
Une grande ouverture ménagée dans la cloison
permet à la chaleur de circuler dans la pièce.

L'escalier menant aux combles, de conception très simple, mais exceptionnel par la qualité de sa conservation, est une authentique construction du début du XIXe siècle.

en planches verticales. Des meubles d'époque garnissent plusieurs des pièces du rez-de-chaussée, la grande cuisine, les chambres et une grande salle. Grâce à la couleur brun foncé de ses cloisons et de ses boiseries, la blancheur de ses murs, ses plafonds bas, l'absence de couleurs vives, l'atmosphère sombre et feutrée, le bâtiment dégage un charme propre aux habitations dont l'évolution semble s'être arrêtée longtemps auparavant.

Le bâtiment occupe un grand terrain bien aménagé en bordure du fleuve. On peut y faire une halte et pique-niquer auprès de grands arbres qui se dressent aux abords de la maison. Édifice exceptionnel de notre patrimoine, classé monument historique, le vieux presbytère appartient aujourd'hui à la municipalité de Saint-François-Xavier-de-Batiscan, qui l'ouvre au public pendant la saison estivale et propose des visites guidées à ceux qui désirent en découvrir les attraits.

Le cottage Henry-Stuart

À QUÉBEC,
CONFORT RÉGENCE
SUR UN SITE
PRIVILÉGIÉ

Ne vous méprenez pas, même si la maison Henry-Stuart s'insère aujourd'hui dans le dense tissu urbain du quartier Montcalm à Québec, il s'agit avant tout d'un petit cottage pittoresque, dont l'environnement rural d'origine s'est graduellement modifié au cours des ans.

En effet, pendant la première moitié du XIXᵉ siècle, la mode incitait les bien nantis, particulièrement ceux de la ville de Québec et de ses environs, à se construire un petit cottage semblable à un pavillon de campagne le long d'un axe important de circulation, ou encore en bordure du fleuve. Depuis, la Grande-Allée et ses abords ont modifié leur paysage rural et se sont transformés en un quartier de « plex » typique du début du XXᵉ siècle. La maison est aujourd'hui flanquée d'une église et d'un bâtiment commercial. Mais elle courtise deux grandes artères de Québec, la rue Grande Allée Ouest, en façade, et la renommée rue Cartier, sur le côté ouest ! Voilà une toute nouvelle distinction ! Entre autres

qualités, la maison Henry-Stuart présente celle de nous offrir un cottage Régence en excellent état tant à l'extérieur qu'à l'intérieur, doté d'une grande partie du mobilier familial.

La maison est construite en 1849 par Joseph Archer, un entrepreneur de Québec, qui la destine à Madame William Henry, épouse d'un marchand de bois de la ville de Québec. La famille Stuart l'achète en 1918 et va en demeurer propriétaire jusqu'à la mort d'Adèle Stuart, en 1987. La maison illustre bien le modèle de petit cottage néoclassique largement teinté des caractéristiques du mouvement pittoresque qui a cours au XIXᵉ siècle : son carré, plutôt bas, est surmonté d'un toit à deux versants avec croupes de faible pente et d'un avant-toit très prononcé qui recouvre une grande galerie périphérique. D'autres traits

129|*Le cottage Henry-Stuart*

Le salon, situé à gauche en entrant, comporte un imposant foyer flanqué de niches de part et d'autre.
Le sofa (à gauche) et le canapé (à droite), en acajou, évoquent le style Empire des années 1820-1840.
Celui de droite appartenait à la famille de Philippe Aubert de Gaspé de Saint-Jean-Port-Joli. La table et les chaises
proviennent de la villa MeadowBank à Cap-Rouge. Le plancher est recouvert d'un grand tapis au motif oriental.

1311 *Le cottage Henry-Stuart*

Les éclairages de la maison, particulièrement la lumière que procurent les fenêtres, sont veloutés et mettent en valeur les tons très riches des pièces, qui vont du jaune à l'acajou.

Le mobilier de la maison date de la période 1840 à 1900 environ. Quelques meubles proviennent de maisons plus anciennes alors que d'autres ont été achetés par Adèle et Mary Stuart au cours de leurs voyages.

modèlent sa personnalité propre : des murs de brique d'Écosse de couleur jaune pâle, de grandes portes-fenêtres en façade et une grande-lucarne à croupe en façade. Le terrain contribue lui aussi à un mariage réussi entre ce fier bâtiment et son environnement : grand espace clôturé et boisé agrémenté de plates-bandes, d'une roseraie et de sentiers.

La porte principale ouvre sur le grand hall d'entrée qui donne accès aux pièces du rez-de-chaussée. Le salon est immédiatement à gauche, jouxtant la bibliothèque. Du côté droit se trouvent la salle à manger et la chambre à coucher principale. Au fond du hall d'entrée qui se termine en forme d'hexagone, trois portes donnent accès à deux chambres, la « Fantasy Room » et la « Hobby Room », et à un corridor. Chose curieuse, c'est au fond du hall d'entrée que se trouve la porte

Le foyer principal du salon est surmonté d'un riche manteau de cheminée en bois d'acajou. Mis en place vers 1840, il comporte le monogramme S pour Stuart, en laiton, au centre de son linteau. Un magnifique pare-étincelles en laiton en demi-cercle occupe le devant de l'âtre.

*Un mobilier bourgeois représentatif de la période allant de 1840 à 1900 environ,
qui emprunte tant au néogothique qu'au néorococo et au Eastlake, [...]*

*À droite de l'entrée de la maison, la salle à manger est décorée d'une large moulure
qui joint les murs, recouverts de ramie d'origine japonaise, au plafond. Deux grandes
niches en ogive, caractéristiques de la période régence, flanquent le foyer.*

donnant accès à l'escalier principal conduisant à l'étage, à côté des deux chambres.
Détail inhabituel, cet escalier est associé aux pièces de service situées à l'arrière
de la maison.

Dans la partie publique de la maison, qui comprend cinq pièces importantes où les invités peuvent aller et venir (hall, salon, salle à manger, bibliothèque, chambre), on retrouve une atmosphère d'époque qui trahit un mélange
des influences du XIXe et du début du XXe siècles. Le décor architectural comprend
principalement des moulures et des corniches en bois. Les foyers d'origine ont
été conservés. De grandes niches surmontées d'un arc d'ogive ornent le salon et
la salle à manger tandis que les papiers peints évoquent le décor des années 1920.
Un mobilier bourgeois représentatif de la période allant de 1840 à 1900 environ,

*Sur une commode de
la chambre, un coffret
de voyage fabriqué en
Angleterre par Goldsmith
& Silversmith Co Ltd vers
1870 contenant quelques
articles ayant appartenu
aux occupants, dont
un carnet de voyage.*

*La chambre principale, garnie de deux lits
et d'une grande commode. Sur le mur,
au-dessus du lit, des silhouettes encadrées.*

qui emprunte tant au néogothique qu'au néorococo et au Eastlake, complète ce décor fait pour nous transporter dans le temps.

Son achat par le Conseil des monuments et sites du Québec en 1997 est la première marque de reconnaissance dont peut profiter cette maison exceptionnelle. Puis, l'édifice et son contenu sont classés par le ministère de la Culture et des Communications en 1988, et le jardin, en 1990. La maison, admirable réalisation du milieu du XIXe siècle, est ouverte au public qui peut en admirer tant l'architecture, le décor intérieur que les jardins.

En entrant à droite, des parapluies, une canne, un balai et un petit siège pliant de campagne, objets hérités des derniers occupants, sont suspendus à des crochets.

Le manoir Dionne

MANOIR,
PETIT TRIANON
ET HANGAR
À SAINT-ROCH-
DES-AULNAIES

À Saint-Roch-des-Aulnaies, tout à côté de la rivière Ferrée, une visite du manoir Dionne vous convaincra que l'art de vivre existe bel et bien au milieu du XIXe siècle, qu'il est une réalité des régions et non pas seulement des grandes villes de l'époque et que la douceur de vivre y a, si l'on peut dire, pignon sur chemin. Aujourd'hui ouvert au public, le manoir propose à celui qui daignera y passer une heure ou deux le plaisir de partager un peu des émotions et des sensations que ressentaient ses premiers occupants, membres éminents de la bourgeoisie du Bas-Saint-Laurent.

Eh oui!... Une telle richesse en un tel lieu étonne. On ne s'attend pas à y trouver un manoir bourgeois, des bâtiments secondaires de qualité, des jardins, une rivière détournée, des gorges, des belvédères, un moulin à farine, et des sentiers de marche, tout cela en un même lieu! Ce domaine, — le mot convient finalement plus que tout autre —, ce domaine donc est acheté par le

L'aménagement intérieur et son décor architectural sont riches
d'enseignement sur la vie quotidienne d'une famille bourgeoise
du Bas-Saint-Laurent au milieu du XIXᵉ siècle.

La grande cuisine, une pièce fonctionnelle, garnie d'une table, de chaises et d'un grand
buffet à deux corps servant au rangement de la vaisselle et des ustensiles de cuisine.
À droite, une porte s'ouvre sur une spacieuse dépense. Le plancher est fait de madriers
assemblés à joints perdus, les murs sont recouverts de planches verticales embouvetées
et le plafond est formé de grandes planches à joints tringlés.

ministère du Tourisme de la Chasse et de la Pêche du Québec en 1963 et restauré
à partir de 1975. Le manoir a été construit vers 1852 par Amable Dionne, propriétaire de la seigneurie des Aulnaies depuis 1837, mais sa mort prématurée fait de
son fils Pascal-Amable le véritable propriétaire et occupant. La tradition impute
la paternité des plans de l'édifice à un architecte célèbre de l'époque, Charles
Baillargé.

Le site du manoir, entouré de bâtiments secondaires dont une petite
remise appelée Trianon, d'un hangar sis au milieu de jardins aménagés dans l'esprit d'origine, est formé d'un ensemble remarquable. Les aménagements réalisés
à l'époque par Pascal-Amable Dionne incluent le détournement de la rivière Ferrée effectué pour former un étang, la plantation d'une pinède, d'arbres fruitiers,

141 *Le manoir Dionne*

Le vaste salon, composé d'un mobilier très élaboré en bois dur de couleur foncée, affiche le luxe victorien de la seconde moitié du XIXe siècle. Le décor architectural est mis en valeur par deux impressionnantes fenêtres dont le baldaquin et les lourds drapés ornés de franges et de festons créent un effet visuel remarquable.

Un petit coin de lecture a été aménagé dans l'une des tours qui flanquent les coins arrières de la maison. Sur le piano, ce fidèle instrument des intérieurs victoriens, un médaillon représentant une dame.

d'espèces diverses de fleurs, l'aménagement d'un belvédère et la construction d'un petit pont donnant accès au manoir.

L'intérieur du manoir illustre bien ce que nous appellerions le début de spécialisation des espaces que connaît la période victorienne. Les seize pièces qui le composent harmonieusement se répartissent sur deux niveaux. Le rez-de-chaussée comprend la salle à manger, le salon, la chambre des maîtres et la cuisine. Particularité de l'édifice, deux petits pavillons flanquent ses murs latéraux en façade, l'un abritant une bibliothèque et un bureau, l'autre un solarium et un boudoir. Nanti de sa vaste porte centrale, le manoir n'échappe pas à la règle d'un emplacement central pour son grand escalier, précédé d'un impressionnant hall d'entrée. Les chambres occupent l'étage.

Même si la conception de l'ensemble est classique, le traitement décoratif est celui qui avait cours au milieu du XIXe siècle, affirmant son influence de la période victorienne. En témoigne l'encadrement de cette ample niche qui se distingue par ses éléments décoratifs : consoles et feuillages, oves, boutons façonnés en six feuilles et pilastres nantis de chapiteaux ornés de feuilles d'acanthe.

Un bel échantillon des accessoires de chauffage et de cuisson des aliments au tournant du XXe siècle : la cuisinière au bois, avec son four, son bassin d'eau chaude, sa chambre à combustion, ses plateaux de cuisson et son réchaud, le foyer traditionnel avec linteau et piédroits taillés et un petit poêle à bois.

Le manoir Dionne, avec son toit à croupes, ses avant-toits largement débordants, ses grandes fenêtres, sa galerie imposante, doit autant au mouvement pittoresque de la première moitié du XIXe siècle qu'au style Regency, auquel il emprunte sa silhouette. En revanche, un mélange des influences décoratives propres au XIXe siècle le rapproche véritablement de l'esprit victorien. Quoi de plus étonnant que d'y reconnaître des éléments décoratifs néogrecs, néogothiques et même néoégyptiens. L'aménagement intérieur et son décor architectural sont riches d'enseignement sur la vie quotidienne d'une famille bourgeoise du Bas-Saint-Laurent au milieu du XIXe siècle. La présence d'un mobilier et d'objets représentatifs d'une époque ajoute à l'intérêt du manoir et en fait un témoin unique de notre passé.

145 | *Le manoir Dionne*

Une maison près du Richelieu

RIGUEUR
ET PRESTANCE
CLASSIQUE À
LACOLLE

Quoi de plus agréable que de succomber à la tentation de tomber en amour...
avec une maison ? N'est-ce pas là une des expériences agréables que nous
réserve l'existence ? Le cas de cette propriété illustre éloquemment le plaisir que
peut procurer une inclination comme celle-là. Les propriétaires actuels font l'acquisition de cette maison en 1974. Imaginez un grand terrain sur lequel sont construits
des bâtiments annexes, admirez les jardins et les plantations avec, en leur écrin, une
maison de brique du milieu XIXᵉ siècle, et vous découvrirez une histoire d'amour
qui dure encore.

   Au cours des années 1970, en pleine période de redécouverte de notre
patrimoine québécois, notre heureux propriétaire est à la recherche, depuis déjà
quelque temps, d'une maison ancienne. Un ami, journaliste au *Montreal Star,* a la
chance d'en posséder une à Rockburn. Il accepte d'unir ses efforts à ceux de son
ami et lui propose de sillonner la région. Le hasard va faire le reste... Tout est

*Dans l'une des deux entrées avant de la maison, la porte est flanquée de
deux vantaux de menuiserie percés de quatre carreaux de verre. À gauche, l'escalier,
muni d'une rampe et décoré de fins barrotins, mène à l'étage des chambres.*

*La maison est éclairée par plusieurs fenêtres à guillotine ornées de persiennes.
Une adjonction latérale en planches donne accès à la porte latérale de la maison.*

là : la maison, le terrain, l'environnement. Il éprouve un véritable coup de foudre.
Un premier coup d'œil suffit à le convaincre qu'il vient de trouver la perle rare.

La suite de l'histoire n'est que plaisir : une deuxième visite va lui confir-
mer son choix. Il achète la maison en trois jours. L'essentiel des travaux à effectuer, c'est-à-dire refaire la cuisine et la salle de bains, et rafraîchir l'intérieur,
s'étale sur les deux premières années. Aujourd'hui, Monique occupe cette maison
avec leur fils. Au fil des ans, ils ont résisté à l'idée de la transformer en gîte du
passant ou en restaurant et ils apprécient aujourd'hui ce cadre qui les enchante.

Il semble que la maison ait appartenu à l'origine à un dénommé Thomas
Hodgson, un homme d'affaires de Montréal. Elle serait ensuite devenue la
propriété des Van Vliet, une famille d'émigrés en provenance de la vallée de

149 | *Une maison près du Richelieu*

Une grande pièce, transformée en chambre, témoigne de la simplicité classique de cet intérieur du milieu du XIXe siècle. L'armoire, de la fin du XVIIIe siècle, provient de la région. Les portes et les ouvertures sont entourées de chambranles moulurés très sobres, tout à fait dans l'esprit de cette maison au décor rigoureux.

Dans la même pièce, une seconde porte avant flanquée de deux fenêtres à guillotine (à gauche). De grands miroirs posés sur les murs ajoutent de la profondeur à ce lieu qui paraît déjà spacieux en raison de l'omniprésence du blanc (à droite). Sous le miroir, une table du début du XIXᵉ siècle fabriquée dans le Maine a gardé sa couleur d'origine. Chacun de ses trois panneaux est formé d'une seule pièce de bois.

la rivière Hudson, dans l'État de New York. Entourée d'une grande terre agricole, elle a vu se fragmenter son territoire à partir de 1972.

Cette admirable résidence est une belle illustration des maisons d'influence classique grecque, notamment en raison de sa façade qui se retrouve sur le mur pignon. Cette construction en brique recueille la lumière du jour au moyen de fenêtres fermées par des châssis à guillotine, modèle que l'on retrouve couramment dans la région frontalière. La grande galerie à l'avant de la maison repose sur des poteaux carrés, qui évoquent les piliers des temples anciens. Deux additions faites au carré initial, l'une sur le côté, l'autre à l'arrière, créent un espace appréciable. La porte principale s'ouvre sur une sorte de vestibule où se trouve l'escalier qui conduit à l'étage et deux portes conduisent au salon et à l'arrière

Même le mobilier participe à cet effet :
les meubles anciens et contemporains
coexistent dans une belle harmonie
qui inspire le calme et la beauté.

La cuisine est aménagée
dans l'adjonction arrière
de la maison (à gauche)
et communique par une
porte avec le corps principal
(à droite). Le mur arrière
du corps principal de
la maison a été dépouillé
de son enduit d'origine
et montre une belle
surface briquetée brute
qui se démarque.

de la maison. Curieusement, une seconde porte donne, en façade, sur une grande pièce transformée en chambre. Cette pièce, très spacieuse, occupe la totalité de l'addition latérale.

Un heureux compromis entre l'ancien et le nouveau a permis à cette maison de conserver ses caractéristiques originales tout en répondant à la plupart des nécessités du confort moderne. Même le mobilier participe à cet effet : les meubles anciens et contemporains coexistent dans une belle harmonie qui inspire le calme et la beauté.

Une maison de loyaliste près de la baie Missisquoi

SILHOUETTE CLASSIQUE TYPIQUE DE LA PREMIÈRE MOITIÉ DU XIXᵉ SIÈCLE

Non loin du lac Champlain, à proximité de la frontière américaine, un grand relief plat se prête admirablement à l'agriculture. De grandes étendues tapissées de cultures céréalières et de maïs se découpent les unes à côté des autres. Des chemins se croisent à angle droit, les uns bordés d'anciennes maisons de ferme, les autres se contentant de communiquer entre eux. En été, les champs sont si denses que l'on ne voit bien souvent des maisons que leurs toits ou leurs lucarnes. Les habitations sont disséminées ici et là, clairsemées et presque dissimulées par une nature envahissante.

C'est là, émergeant de l'un de ces chemins, que l'on aperçoit la maison de Ken, émouvant indice de l'implantation humaine sur ce vaste territoire. Cette habitation, surmontée d'un toit à deux versants, est recouverte de brique, percée de fenêtres à guillotine, et compte deux étages. Elle offre au regard admirateur ce beau volume classique anglais qui a commencé à parsemer le sud du Québec

Dans le salon du collectionneur, des meubles, des sculptures animalières traditionnelles et inuites, d'anciens contenants alimentaires et des livres s'entassent dans un heureux mélange rappelant le bonheur passé. À l'avant-plan, à gauche, un fauteuil Louis XV recouvert de tissu blanc. À droite, un fauteuil du début du XXe siècle. Au fond, des murs décorés d'objets hétéroclites, dont un gros rayon de soleil, provenant d'une église démolie. Le poêle en fonte serait d'origine écossaise. Derrière, une chaise Windsor, munie d'un appui pour écrire.

Une remise en bois, rénovée et embellie par quelques aménagements floraux, s'aboute à l'arrière de la cuisine d'été.

Dans une autre partie du salon, des plantes, des meubles de différentes époques, la maquette à petite échelle d'une maison et d'une église, des poupées, des animaux en peluche, baignent dans une lumière doucement tamisée par une fenêtre à guillotine. Sur le mur, dans un cadre, un dessin de l'architecte montréalais Dunlop, datant de 1881, reproduit le moulin à papier de Lachute. Au fond à gauche, une porte menant dans une ancienne petite chambre, probablement utilisée à l'origine comme chambre d'enfant.

au tournant du XIXe siècle. Les proportions sont justes, le corps élancé, gracieux, dépourvu d'artifice inutile. La maison est rigoureusement parallèle au rang et marque un léger recul par rapport au chemin ; elle rappelle ce qui ressemble à la bonne tenue du gentleman anglais, c'est-à-dire un corps bien droit, discrètement en retrait.

Au corps principal de l'habitation se greffe une adjonction en retour d'équerre qui sert toujours de cuisine. Le rez-de-chaussée se divise en quatre pièces. L'escalier conduisant à l'étage est situé face à la porte avant.

Un terrain joliment aménagé entoure la maison. À l'avant, le rectangle de la pelouse attire le regard sur la façade. Un bâtiment de pièce sur pièce sert de rangement dans la cour arrière. Quelques arbres bordent le terrain. Ici et là poussent

Le foyer en brique comprend un âtre et un four à pain. Il a été reconstitué à partir des vestiges de l'ancienne structure partiellement démolie vers 1870-1880. La brique manquante a été récupérée des restes d'une maison de la région. Dans ce modèle de foyer d'inspiration états-unienne, il n'y a ni manteau de cheminée ni tablette. Au-dessus, des affiches publicitaires d'anciens commerçants.

La cuisine est aménagée dans une adjonction arrière. Les armoires sont en bois, munies de portes qui retiennent le motif simple des panneaux d'assemblage traditionnels ornés d'une petite moulure dans l'esprit shaker. Au plafond, une forêt de paniers de frêne suspendus aux poutres.

161 *Une maison de loyaliste près de la baie Missisquoi*

Une poupée de la fin du XIXe siècle est habillée d'un accoutrement éclectique des années 1920. Le berceau dans lequel elle repose, de conception anglo-saxonne, appartenait à la famille Blanchet, en Gaspésie ; il provient de la maison qui fait aujourd'hui partie du parc national de Forillon.

Dans l'une des chambres, deux penderies s'harmonisent au décor intérieur, disposées de part et d'autre d'une fenêtre entourée d'un chambranle finement mouluré. L'utilisation d'un seul type de moulure dans toute la maison assure la parfaite intégration de ces rangements à l'ensemble de la propriété.

Cette maison lui apparaît comme le lieu d'une expérience dynamique : les défis qu'il a relevés en l'aménageant de manière qu'elle puisse répondre à ses besoins et à ceux de ses occupants, cette aventure qu'il a pu partager avec sa famille ont permis de faire évoluer la maison et d'en faire un milieu de vie en progression. Philosophiquement, il conclut : *Open to change and a movement forward not willing to fix something in time and let it stagnate. As we evolve so does the house. The corners are a little more rounded off from age. What once would have been viewed as scratches are now patine. It's how we view ourselves...*

Une maison
aux couleurs de l'Écosse

PETITE HABITATION
TRAPUE DU COMTÉ
DE HUNTINGDON

Même si la région de Huntingdon connaît à partir de 1793 une première vague d'immigration en provenance des États-Unis, suivie d'une seconde vague vers 1800, elle ne conserve que peu de traces de cette première occupation. Au moment de la guerre de 1812, la plupart des colons installés dans la région, troublés par les intrusions des troupes américaines dans le Bas-Canada, décident de franchir la frontière, cette fois vers le sud, ne laissant guère de traces de cette présence américaine. Mais à partir de 1815, de nouveaux colons en provenance des îles Britanniques arrivent dans la région. Monté sur le bateau *Dalhousie* en Écosse, Robert Barrie, qui exerce le métier de maçon, s'installe dans cette belle région où il se construit une maison en pierre.

Cette petite habitation plutôt basse est faite de grosses pierres calcaires de formes irrégulières, dont les plus grosses ornent les coins. Au-dessus des fenêtres, des moellons disposés en claveaux surmontent des ouvertures fermées

Dans un coin de la grande salle, un fauteuil affirme ses influences françaises, par le motif de cœur reproduit sur le dossier, ses influences anglaises, par son dossier fabriqué dans l'esprit Chippendale. Sur le mur, un tableau du XIXe siècle illustre un bateau à roues à aubes, un paddle wheeler américain.

par des châssis à guillotine. Les versants du toit sont bas : la maison rappelle les chaumières qu'on peut voir en Écosse : basses, trapues, percées de petites fenêtres. Une porte centrale ouvre sur un escalier étroit qui conduit à l'étage. Deux grandes pièces constituent l'essentiel du rez-de-chaussée.

Peter découvre cette maison abandonnée en 1981. Elle lui plaît, il l'achète. Il faut dire que la région dans laquelle elle est située trouve un écho à sa sensibilité. Sise dans un secteur tranquille à vocation agricole, entourée de rares habitations et isolée par sa situation à l'écart de la route, la maison possède beaucoup des qualités qu'il recherche. La présence d'un petit cours d'eau à proximité ajoute au charme du site. Toutefois, jugeant l'espace intérieur restreint, Peter acquiert un carré de pièce sur pièce qu'il accole au corps principal de la

La partie de la maison construite en pièces contient un grand séjour chaleureux que domine un foyer en pierre. Les madriers du plancher, peints en rouge, rehaussent toute la pièce. Le manteau de cheminée est de style néoclassique anglais. Dans le foyer, divers accessoires dont une potence, une bouilloire et des pinces.

Un vieux casier, ayant peut-être servi dans un magasin général, sert d'abri à une colonie d'oiseaux sculptés en bois.

La maison rappelle les chaumières qu'on peut voir en Écosse: basses, trapues, percées de petites fenêtres.

171|*Une maison aux couleurs de l'Écosse*

Dans l'âtre, les chenets sont ornés de mercenaires allemands de la région de Hesse, troupes intégrées à l'époque aux forces militaires britanniques (à gauche). Au-dessus du foyer, une sculpture en pierre représentant un ange (ci-dessous) et une sculpture amérindienne (à droite).

maison, la rendant ainsi beaucoup plus spacieuse. Même Bruno, le chien, niche dans un abri de construction traditionnelle ! Ces intégrations réussies illustrent la philosophie de Peter : une maison qui a évolué doit continuer à le faire.

À l'intérieur, sa préoccupation de maintenir une ambiance d'époque est manifeste, il a conservé les éléments de menuiserie et le décor original. Les planchers sont faits de madriers, les lambris d'appui au bas des murs sont surmontés d'un enduit dans leur partie supérieure, on trouve des appui-chaises, les plafonds sont recouverts de planches aux joints tringlés et les portes sont entourées de chambranles très simples. Un mobilier d'époque de caractère paysan où dominent les influences anglo-saxonnes confère une allure rustique à cet intérieur remarquable.

Une porte à deux battants mobiles, l'un inférieur, l'autre supérieur, a été installée dans le petit corridor qui réunit les deux corps de bâtiments. On trouvait ce modèle dans les maisons d'influence hollandaise du XVIIIe siècle.

Devant la porte principale, un escalier enclos donne accès à l'étage. Le décor est très simple et se résume à une petite plinthe à la base des murs, un appui-chaise ou un lambris d'appui, et des chambranles très retenus ornés d'une petite moulure.

Dans cette région agricole où les maisons sont très dispersées dans un paysage plutôt plat, la maison de Peter occupe le centre d'un vaste terrain où quelques bâtiments ont été regroupés afin de réunir les membres de sa famille et ses amis intimes. À l'écart de la route, entourée d'arbres, elle offre à son propriétaire une tranquillité qu'il ne cesse encore aujourd'hui d'apprécier.

L'armoire du XVIIIe siècle est de fabrication locale. Sur le dessus, les paniers ont été tressés selon la méthode traditionnelle par des Amérindiens de la réserve d'Akwesasne. Autour de la grande table, des chaises du XIXe siècle dans l'esprit Louis XIII. Appuyées au mur du fond, deux chaises à dos droit d'influence anglaise, ornées d'un tournage en balustre.

La niche du chien Bruno n'a pas
été exclue d'un plan général visant
à une restauration dans l'esprit
du milieu du XIXe siècle de tous
les bâtiments du site. Elle s'inscrit
elle aussi dans la tradition des
constructions en bois de l'époque.

La maison de mademoiselle Bernard

PETIT GÎTE
DANS UN ENSEMBLE
SECOND EMPIRE
À CAP-SANTÉ

La période victorienne a baigné dans un romantisme dont le ressort principal reposait sur une vision idéalisée du passé. Le décor qui caractérise cette période puise dans diverses formes passéistes qu'il réactualise en les modifiant ou en les associant les unes aux autres. Le détail importe donc beaucoup dans la période victorienne, même si la profusion de couleurs et la surcharge d'accessoires achèvent de donner le ton. Pour la plupart des gens, le décor victorien évoque les luxueuses demeures aux intérieurs lourdement chargés de boiseries sombres, mais c'est vite oublier que des propriétaires aux revenus plus modestes avaient eux aussi des penchants pour ce style orné, mais dans des formes beaucoup plus simples et plus sobres.

La maison de mademoiselle Bernard, à Cap-Santé, illustre bien le type d'habitations marquées du sceau de la période victorienne. Construite vers 1880 pour loger le notaire Léonidas Praxède Bernard, elle abrite ensuite sa fille Corozanne et son frère Alvarez jusqu'en 1975. La maison, toute menue, est coiffée d'un toit brisé,

Des portières sont fixées à
deux supports métalliques
mobiles en forme de console.

La porte principale à grands carreaux,
entourée de son encadrement classique en
bois, est surmontée d'une imposte vitrée.
En avant-plan, des portières de dentelle.

joli fleuron de la mode Second Empire lancée au cours des années 1860. Elle occupe
la bordure du Vieux Chemin, l'une des plus anciennes artères du village.

L'intérieur est pourtant divisé selon des principes tout à fait classiques.
Une porte centrale donne sur le hall où trône l'escalier noble. Le salon est à droite,
le bureau à gauche et il y a au fond un accès à une petite salle et à une cuisine.
Les chambres sont à l'étage. Bien sûr les planchers sont faits de madriers en pin
comme il s'en trouve fréquemment dans les maisons de campagne du XIXe siècle et
les plafonds sont recouverts de planches embouvetées. Mais la mouluration épaisse,
le profil des éléments décoratifs et la modification des ordres anciens dans des
formes nouvelles témoignent des influences victoriennes. Les couleurs contrastées,
même si elles sont apparues bien après la construction de la maison, contribuent

L'accès principal de la maison s'ouvre sur un escalier menant à l'étage des chambres. On a choisi de peindre les murs de couleurs sombres afin de rehausser la clarté des boiseries de couleur pâle. Il faut remarquer, à gauche, la porte donnant accès aux pièces arrière de la maison. Son large chambranle est un modèle très répandu de la période allant de 1850 à 1860.

« Béni soit celui qui inventa le sommeil ! »
affirmait Cervantes.

Pas un rideau qui ne soit retenu par des ferronneries d'époque ! Tringles, fleurons, anneaux, embrasses aux couleurs d'or rivalisent de finesse dans le détail.

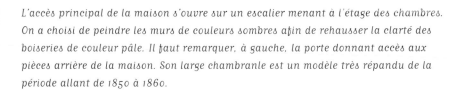

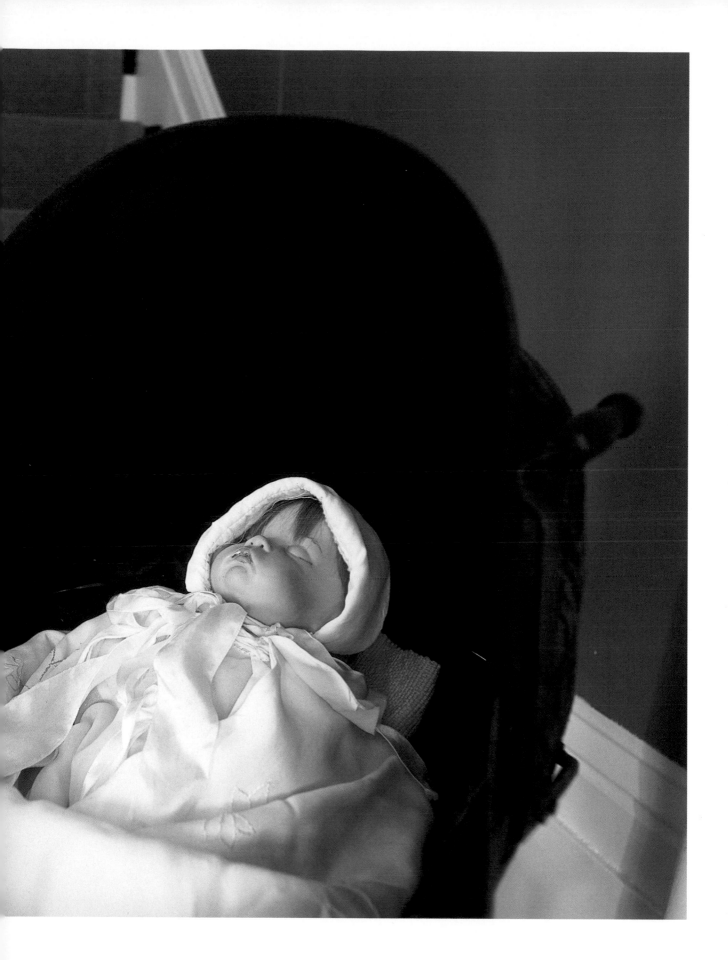

181 *La maison de mademoiselle Bernard*

Les portières du salon (à gauche), fabriquées industriellement et apparues dans la seconde moitié du XIXe siècle, sont retenues par des embrasses aux motifs végétaux.

Dans le salon, un manteau de cheminée en bois est surmonté de consoles massives. De très grosses plinthes ornent la base des murs tandis que le plafond est entouré d'un bandeau et d'une corniche. Les rideaux de tissu diaphane et leur lambrequin souple bien découpé sont accrochés au moyen d'accessoires d'époque dorés : tringles, fleurons et anneaux de suspension.

aussi à créer cet effet. Les poignées, les plaques de serrures, les pentures appartiennent toutes à l'influence victorienne de la fin du siècle, où les motifs végétaux sont à l'honneur.

C'est en 1990, au moment où la maison est acquise par des propriétaires qui entreprennent de la rafraîchir complètement et de la mettre en valeur, que l'intérieur adopte l'apparence que nous lui connaissons aujourd'hui. Un immense effort est fait pour trouver le ton juste et lui redonner son cachet victorien. La maison devient alors un gîte du passant, vocation que lui conservent ses propriétaires actuels, Michelle et Marcel.

Il faut apprécier dans cette maison l'excellent état de conservation de l'aménagement intérieur, le soin apporté aux boiseries et à la mouluration et, par-dessus

Le bureau du notaire est demeuré sur place,
ainsi que les accessoires ayant servi à l'exercice
de son métier, livres, encrier, plume, papier...

tout, l'utilisation passionnée des tringles et d'embrasses de rideaux, qu'elles se
retrouvent devant une fenêtre ou une porte. Le choix des rideaux et des voilures,
la plupart assez transparents pour filtrer une lumière douce, contribue à créer une
atmosphère feutrée, particulièrement au salon, dans le hall d'entrée et dans l'ancien
bureau du notaire Bernard. Et observons le détail. Pas un rideau qui ne soit retenu
par des ferronneries d'époque ! Tringles, fleurons, anneaux, embrasses aux couleurs
d'or rivalisent de finesse dans le détail.

Une grande galerie en façade et un aménagement de terrain agréable invi-
tent au repos. À l'arrière, des bancs disposés dans un petit jardin traversé par un
sentier offrent au visiteur une occasion de se recueillir dans la calme contemplation
de la nature.

185 | *La maison de mademoiselle Bernard*

La villa Pimbinas

COLLECTIONNER
ET CRÉER
SON ENVIRONNEMENT
AUX CONFINS
DE LA BEAUCE

Aperçue lors d'une visite à la cabane à sucre en 1991, la villa Pimbinas a séduit au premier coup d'œil ses propriétaires actuels, Denis et Michel, designer et artiste en arts visuels. La maison, construite en 1890-1891, aurait appartenu à une seule famille et à ses descendants jusque vers 1980, date où elle fut vraisemblablement abandonnée.

Il s'agit d'une petite résidence de campagne marquée par l'influence du Second Empire, surmontée d'un toit brisé sur quatre côtés. Au moment de son acquisition, la maison ne comporte pas de salle de bains. Le rez-de-chaussée présente un plan classique typique. Un petit escalier central enfermé entre deux cloisons sépare le rez-de-chaussée en deux parties égales, qui comprennent une cuisine et une salle à manger, un salon et une chambre à coucher principale. À l'étage, un passage relie les quatre chambres. Les cloisons intérieures sont en planches de frêne d'un pouce et demi d'épaisseur.

Le coin salle à manger où sont disposées une table et des chaises Windsor. Au-dessus de la table est suspendu un ancien luminaire au kérosène orné d'une frange de cristal. Le plafond est rouge brun, les murs sont jaune beige et les encadrements verts.

Au centre de la cuisine trône une cuisinière au bois flanquée, à droite, d'une boîte à bois typique de l'époque. Les murs sont recouverts de planches larges que leur moulure centrale semble séparer en deux.

189 *La villa Pimbinas*

La chambre des filles, percée d'une fenêtre entourée d'un simple chambranle de planches, était entièrement peinte en blanc au moment de l'acquisition de la maison. Autour de la partie supérieure du mur, une bande décorative exécutée au pochoir montre un motif en vogue à la fin du XIXe siècle. Un mannequin parisien de 1890 porte une veste d'un modèle de 1885.

Au moment de l'acquisition de la maison, il n'y avait pas de salle de bains. Celle-ci a été aménagée dans la chambre principale. À gauche, une cloison dissimule la buanderie.

Dans une petite vitrine installée sur un piédestal au salon, une poupée fabriquée par un ami artisan, inspirée des poupées allemandes du XIXe siècle, est habillée d'un costume en mousseline blanche datant de 1835. À gauche, un Récamier des années 1840.

[...] la décoration des pièces est toujours en cours ; c'est un long processus entamé il y a plusieurs années et qui ne cesse d'évoluer, les deux propriétaires visitant régulièrement les antiquaires et les brocanteurs et chinant dans les marchés aux puces.

Mystérieuse ? C'est du moins ainsi qu'elle est apparue à ses nouveaux acqué-
reurs lorsque, après une première visite, ils ont constaté que plus personne ne l'occupait depuis plusieurs années. Fascination de Denis depuis son plus jeune âge, pour
les maisons abandonnées ! Émerveillement aussi devant l'authenticité des lieux.
Des morceaux du passé, oubliés ici et là dans un recoin, des artefacts trouvés dans
le sol en jardinant, tout cela, au fil des ans, les a maintenus en haleine... Et le plaisir se prolonge.

Si l'intérieur a nécessité plus de travaux de rafraîchissement que de restauration, la décoration des pièces est toujours en cours ; c'est un long processus entamé
il y a plusieurs années et qui ne cesse d'évoluer, les deux propriétaires visitant régulièrement les antiquaires et les brocanteurs et chinant dans les marchés aux puces.

Un rayon de soleil estival de fin de journée s'insinue dans cette petite pièce et met en valeur ses tons chauds.

Un petit musée consacré aux outils de jardin ?
Non, un ancien poulailler transformé en remise. Tous les accessoires nécessaires à
l'entretien d'un grand terrain aménagé y sont disposés dans un ordre impeccable.

Pour concevoir ces structures en branches noueuses, Michel, le propriétaire, s'est inspiré de la technique utilisée pour la fabrication des meubles de jardin en usage à la fin du XIXe siècle.

À l'extérieur, plusieurs projets sont en cours… Les quelques bâtiments de ferme qui demeuraient en place au moment de l'achat ont été restaurés et recyclés à de nouvelles fins : une remise de jardin conserve une collection d'outils, un atelier est en cours de restauration et d'agrandissement et la grange demeure toujours dans son état d'origine.

Le terrain comporte plusieurs essences d'arbres indigènes. Un grand boisé borde la maison du côté ouest. Les oiseaux le fréquentent, particulièrement les perdrix, car elles sont friandes des fruits des pimbinas qui y poussent en abondance. Ici et là croissent des cerisiers sauvages, de jeunes frênes et de jeunes ormes. Des lilas se profilent devant la maison, des épinettes poussent en quantité alors que les peupliers faux-trembles ont été en grande partie abattus et arrachés de peine et de

misère. Un verger de pommiers, de cerisiers et de pruniers complète ce patrimoine horticole.

Il a fallu niveler le terrain. Un fossé a été transformé en ruisseau, et un petit étang a été aménagé, créant ainsi un nouvel écosystème... Les plates-bandes sont nombreuses et empruntent des formes variées. Le potager a été clôturé afin d'éloigner les animaux. Sur le porche d'entrée de cèdre grimpent des clématites.

Afin de délimiter les espaces de terrain, les propriétaires ont construit des murets de pierres sèches récupérées sur une grande terre de près de deux kilomètres. Un sentier réalisé au moyen de grandes roches plates conduit à l'entrée de la véranda à l'arrière de la maison ainsi qu'au jardin. En façade, l'escalier central a été lui aussi réalisé à l'aide des bois locaux.

*Un sentier
constitué de
larges pierres
plates conduit
de la maison
au potager,
un espace
clôturé doté
d'une arche
d'entrée faite
de branches
et de tiges
d'arbrisseaux.*

Ne soyez pas surpris par ces structures légères en cèdre que l'on aperçoit ici et là sur le terrain, elles sont l'œuvre de Michel. Inspirées de la période victorienne, elles agrémentent les différents aménagements et agissent comme des éléments structurants. Elles sont à la fois peu coûteuses à réaliser et résistantes au temps.

Denis et Michel n'ont jamais regretté ce coup de foudre et expriment ainsi leur satisfaction : « Un siècle plus tard, cette demeure reprend un nouveau souffle qui, nous l'espérons, saura prolonger sa vie d'un autre siècle. Ce lieu, c'est tout... l'évasion, le plaisir partagé, le voyage, l'amour, la passion, la détente, le calme et, de surcroît, la beauté ! »

La maison Colby-Curtis

RICHESSE ET SOMPTUOSITÉ DE FIN DE SIÈCLE À STANSTEAD

Le petit village de Stanstead contient l'une de ses plus belles réalisations architecturales, la maison Colby-Curtis. Pour vous y rendre, empruntez l'autoroute des Cantons-de-l'Est, puis l'autoroute 55 vers le sud, et vous ne pourrez manquer, à l'approche de la frontière canado-américaine, les affiches signalant le village. Ne vous privez pas de la visiter !

En pleine période victorienne, alors que le romantisme imprègne l'architecture nord-américaine de ses formes passéistes, une famille américaine s'installe au Québec et décide de construire une maison le long de la rue Dufferin. De dimension imposante, insérée dans un alignement continu de belles demeures bourgeoises, la maison Colby-Curtis impose le respect par sa rigueur et sa bonne tenue. Ici, point de matériaux périssables, aucun mélange de couleurs. Le granit, une ressource locale, donne le ton à l'ensemble de la construction. Quant aux formes, on dirait un modèle directement inspiré des traités du jardinier paysagiste américain Andrew Jackson Downing (1815-1852).

La bibliothèque, l'une des pièces les plus luxueuses, possède un foyer recouvert d'un manteau de marbre sculpté, des niches au sommet arrondi, un plancher de bois latté, des murs recouverts de papier peint aux motifs floraux et des tapis aux motifs orientaux. Les arcs des fenêtres, ornés d'un décor de métal ajouré, ont été réalisés sur commande par des artisans du Ponte Vecchio, lors d'un voyage des Colby à Florence. Ces arcs contiennent des symboles révélateurs des origines de la famille : feuille d'érable et castor du Canada, trèfle, rose Tudor et chardon des îles Britanniques. Au-dessous, la traditionnelle corne d'abondance, symbole de la grande fête américaine de la Thanksgiving.

À droite, le pupitre de Charles Carroll Colby I, né en 1827 à Derby au Vermont. Arrivé à Stanstead avec sa famille en 1832, il suit le parcours typique d'une grande famille bourgeoise de l'époque : premières études à Stanstead, formation subséquente au Darthmouth College dans le New Hampshire, études de droit dans des bureaux d'avocats de Sherbrooke et de Montréal, admission au barreau en 1855 et pratique du droit à Stanstead. Marié en 1858 à Harriet Hannah Child de Weybridge au Vermont, il fait construire la maison en 1859. Actif en politique fédérale de 1867 à 1891, il se tourne ensuite vers les affaires, plus précisément les chemins de fer, puis à la mise au point de machines à écrire. Il meurt en 1907.

La porte principale s'ouvre sur un large vestibule donnant accès, à droite, à la bibliothèque, à gauche, au grand salon. Devant, un corridor conduit à la cuisine et aux pièces de service tandis que l'escalier mène à l'étage privé où sont les chambres.

Sur une petite desserte, un service à thé et à café et un serviteur muet portant des pâtisseries. Les murs de plusieurs pièces ont été recouverts au cours des années 1950 de « grass-cloth », une sorte de raphia importé d'Asie.

La maison comporte une collection in situ, fait rare qui ajoute beaucoup à son intérêt. L'influence des styles de la Nouvelle-Angleterre est très nette dans les tableaux — plusieurs portraits sont ceux du peintre américain Wilbur A. Reaser — mais aussi dans le mobilier et les objets d'art décoratifs dont une bonne partie provient de Boston et d'autres villes de la Nouvelle-Angleterre. C'est là une caractéristique de la région frontalière car Stanstead a été pour beaucoup de familles américaines la porte d'entrée en territoire canadien. Sur la table de la salle à manger, la porcelaine ornée d'une bande verte, qui servait dans la période des fêtes, provient probablement de Limoges, mais porte le nom d'un importateur de Boston.

Des personnages marquants dans l'histoire de la maison : à gauche, Harriet, épouse de Charles Carroll Colby I. Au centre, leurs quatre enfants. À droite, Charles Carroll Colby I, photographié en 1862, trois ans après avoir pris possession de la maison.

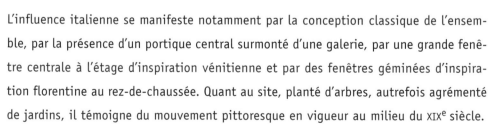

L'influence italienne se manifeste notamment par la conception classique de l'ensemble, par la présence d'un portique central surmonté d'une galerie, par une grande fenêtre centrale à l'étage d'inspiration vénitienne et par des fenêtres géminées d'inspiration florentine au rez-de-chaussée. Quant au site, planté d'arbres, autrefois agrémenté de jardins, il témoigne du mouvement pittoresque en vigueur au milieu du XIXe siècle.

Le plus remarquable à propos de cette maison, c'est l'état de conservation de son intérieur, resté inchangé depuis sa construction en 1859. Les objets et les souvenirs ayant appartenu aux générations successives de la famille Colby se sont greffés à un décor quasi immuable. On doit d'abord cette authentique restitution à Jessie Maud Colby (1861-1958), l'une des deux filles de Charles Carroll Colby I (1827-1907), responsable de la construction de la maison. Elle passe une grande partie de sa vie dans

Une écritoire en cuir munie d'un encrier,
d'une plume, d'un bâton de cire et d'un cachet.

La cuisine se résume à une grande pièce carrée autour de laquelle sont disposées des armoires ; on y trouve un comptoir et un évier, une grande cuisinière Guerney datant de 1929 garnie de sa boîte à bois. Une table d'appoint sert à la préparation des aliments.

Les armoires de cuisine, installées au début du XXe siècle, contiennent les objets que l'on utilisait tous les jours : contenants à café, boîtes métalliques, moules à chandelles, boîtes à lait, baratte, pots et cruches en grès. Sur les tablettes, une variété de contenants : cruches de grès, moules, gobelets, pots à confiture, etc.

la maison, animée du désir constant de préserver le patrimoine familial ; même les papiers personnels de la famille ont été retrouvés intacts.

Quant à Helen Colby (1907-1998), celle qui l'occupera pendant les derniè-res décennies, elle cherche à réaliser le vœu de son mari, Charles Carroll Colby II, qui lègue Carrollcroft à la Société historique de Stanstead avant sa mort en 1976. C'est alors qu'Helen s'installe dans la maison familiale et travaille sans relâche à con-server ce témoin irremplaçable du passé. Enfin, en 1992, la société historique accepte le don et gère la résidence depuis ce temps. Même si la maison abrite désormais la Société et le Musée Colby-Curtis, même si des espaces arrière servent de lieu d'exposition, les principales pièces de la maison et la cuisine arrière montrent des intérieurs exceptionnels par la qualité de leur intégrité et la richesse de leur décor.

Le plus remarquable à propos de cette maison, c'est l'état de conservation de son intérieur, resté inchangé depuis sa construction en 1859. Les objets et les souvenirs ayant appartenu aux générations successives de la famille Colby se sont greffés à un décor quasi immuable.

À l'étage des chambres, le décor reprend les principes du rez-de-chaussée, mais dans une version réduite. La partie inférieure du mur, recouverte de papier peint, est rehaussée d'un cordon qui délimite les deux parties. Une niche au sommet arrondi est entourée d'un chambranle simple.

Le lit à baldaquin provient de Boston. Une porte latérale donne accès à la salle de bains.

La maison
de Wilfrid Laurier

**GRANDE RÉSIDENCE
BOURGEOISE
DES BOIS-FRANCS**

À Arthabaska, une belle grande villa à l'italienne dotée d'un intérieur bourgeois d'époque occupe le côté nord de la rue Principale. Son destin a été étroitement lié à celui de Wilfrid Laurier, premier Canadien français à diriger le gouvernement canadien en 1896.

Encore aujourd'hui, la rue principale est bordée de belles et élégantes demeures, notamment de plusieurs habitations de la fin du XIXe siècle, ce qui lui confère un air de noblesse et de distinction. Les résidences sont largement espacées les unes des autres et sises en retrait de la voie publique ; en outre, la présence de grands arbres tutélaires en fait encore aujourd'hui un cadre de vie agréable. C'est en 1869 que Wilfrid Laurier arrive sur les lieux et qu'il ouvre son cabinet d'avocat. La maison a été construite en 1876 au goût de l'époque, selon les plans de l'architecte Louis Caron. C'est une grande construction de brique rouge que souligne le blanc de ses chaînages et de ses encadrements de pierre décorative.

*La visite de la maison Laurier nous ramène à la fin du
XIXᵉ siècle, dans un intérieur de la fin de l'ère victorienne.
La disposition des pièces, les éléments de décor et
une large partie du mobilier datent de cette époque.*

*Le hall d'entrée s'ouvre sur
un escalier monumental
orné d'un poteau de départ
qui reflète bien l'éclectisme
que connaît la décoration
des intérieurs à la fin de
la période victorienne. Une
large bande murale en toile
enjolivée de motifs floraux
borde l'escalier. Les papiers
peints ont été appliqués
récemment, en 1975, et
respectent l'esprit du décor.*

Plusieurs éléments rappellent l'influence italienne, notamment les fenêtres géminées surmontées d'arcs surbaissés, les chaînages aux angles du bâtiment et le porche d'entrée.

Étonnamment, la maison est rapidement considérée comme un centre d'intérêt, en raison notamment de son caractère historique de la qualité du site qu'elle occupe du bon état de sa construction et de son intérieur. Grâce aux efforts de Joseph-Édouard Perreault, député de Drummond-Arthabaska, elle devient un musée et ouvre ses portes au public dès 1929.

La visite de la maison Laurier nous ramène à la fin du XIXᵉ siècle, dans un intérieur de la fin de l'ère victorienne. La disposition des pièces, les éléments de décor et une large partie du mobilier datent de cette époque.

213 *La maison de Wilfrid Laurier*

Le bureau de Wilfrid Laurier était situé à l'étage.
On voit son pupitre d'origine, muni de son plateau
d'origine peint en noir et des accessoires pour écrire.

La chambre, localisée dans l'ancienne salle à manger, conserve le mobilier des Laurier:
un lit, un prie-dieu, une vanité, une commode, un paravent d'inspiration orientale
datant de 1885, un fauteuil, un guéridon et une grande cage à tourterelles. Les oiseaux
étaient à l'époque le symbole de la douceur de vivre.

La porte principale s'ouvre sur le hall central qui donne accès, à gauche, au grand salon, puis, au fond, à la salle à manger ; le grand escalier conduit à l'étage et, à droite, à l'ancien bureau de Laurier ainsi qu'à sa chambre à coucher.

Le grand salon, impressionnant par la générosité de ses dimensions, affiche son opulence principalement par la prestance de sa grande cheminée de marbre blanc, ses moulures et ses murs recouverts de papier peint. Le mobilier et les accessoires sont choisis avec raffinement : le fauteuil, les causeuses et le piano des Laurier composent un bel ensemble tout comme les rideaux de dentelle, les tableaux, les sculptures et bien d'autres objets remarquables.

À l'extrémité du corridor, longeant l'escalier, la salle à manger a été réaménagée en 1914 dans une adjonction arrière de la maison. C'est une pièce sombre

La grande salle à manger, aménagée dans la partie arrière, comporte un mobilier de style néorenaissance et Eastlake auquel s'ajoute une berceuse jumbo, cadeau de noces de Carolus, le père de Wilfrid. À noter, le plafond imitant de grands caissons. Au mur, où on peut voir les portraits de Mackenzie King (à gauche) et d'Honoré Mercier (à droite), le papier peint a aussi été appliqué en 1975.

217 *La maison de Wilfrid Laurier*

Dans les pièces d'apparat comme le salon, la verticalité des espaces est accentuée par les hautes fenêtres, par les colonnes d'une arche centrale et par l'absence de subdivision horizontale des parties murales. Le grand foyer originellement au charbon, orné d'un manteau de marbre blanc et surmonté d'un immense miroir, occupe le centre du salon. À l'extrémité, le piano de Mme Laurier et, sur le sol, une grande peau d'ours blanc. Le plafonnier, initialement au gaz, a été reconverti à l'électricité.

qui arbore des boiseries vernies brun foncé. Un mobilier de salle à manger de style Eastlake complète admirablement bien le décor. Une grande chambre à coucher occupe la moitié droite du rez-de-chaussée. Le bureau de Laurier, quant à lui, se situe à l'étage.

Un soin méticuleux a été apporté pour conserver la parfaite intégrité de la maison. Il faut dire que celle-ci a été toujours bien entretenue au cours des ans et que son intérieur n'a subi que peu de modifications. Laurier lui-même avait fait installer un système de chauffage central à eau chaude. L'installation de l'électricité s'est faite par la suite. Malgré une impression de sévérité due à l'application des règles muséologiques, la maison dégage une puissance d'évocation remarquable qui fait vite oublier la première impression.

Une petite maison de colon

ACCROCHÉE À LA PENTE ABRUPTE D'UNE VALLÉE BEAUCERONNE

Jean-Guy est épris du passé. Passionné de patrimoine, amateur de restauration, inspiré par Upper Canada Village, ce projet phare de reconstitution historique d'un village ontarien, il « aime jeter un doux regard sur les petites choses du passé pour en traduire la poésie ». Épris du passé ? L'expression est faible... Mais c'est ainsi qu'il doit apparaître aux yeux de plusieurs, seul, au milieu de son petit domaine accroché aux pentes d'une vallée beauceronne où coule la rivière Linière. C'est du moins un amoureux de la nature, du patrimoine, des objets anciens, de l'art, un homme à l'âme d'artiste qui a transformé son environnement pour en faire un lieu d'appartenance.

Jean-Guy s'est installé sur ce site bucolique en 1970. Il s'est d'abord occupé de la maison, un édifice en bois de la fin du XIXᵉ siècle imprégné des couleurs de l'architecture du nord-est américain. Très habile de ses mains et très débrouillard, il a entièrement restauré la maison. Toute blanche, recouverte de planche horizontale,

Au fond de la maison, à l'arrière, se trouve le garde-manger: des tablettes de bois dans un espace réduit à peine éclairé par une petite fenêtre. Sur les tablettes, des planches de travail, des contenants, des pots, des moules et des récipients pour la cuisson des aliments.

Sur une petite table, les accessoires essentiels à la toilette: un broc à eau, un grand bassin circulaire, un autre rectangulaire, une tasse, un réservoir à eau et un bol à savon.

elle possède une porte d'entrée sur le mur pignon. Un petit hall fait face à l'escalier conduisant à l'étage et communique avec la cuisine, au fond, et avec le salon, à droite. Espace étroit s'il en est. Ce modèle architectural fort répandu dans la seconde moitié du XIXᵉ siècle est en effet bâti en longueur, donc peu large, observant une réelle économie d'espace et laissant peu de place à la circulation.

Ne voulant pas en rester là, Jean-Guy achète une maisonnette en charpente à claire-voie qu'il fait transporter sur son site. Encore faut-il trouver l'emplacement idéal. Non pas que l'espace manque sur le terrain, mais Jean-Guy veut faire de cette habitation un petit coin à part, un endroit plus intime où pourront loger des invités de marque... Les chanceux auront donc le loisir de passer sous l'arche végétale, de descendre un petit sentier pentu sur lequel de grosses pierres

225 *Une petite maison de colon*

plates rendent le chemin moins périlleux pour accéder à ce petit sanctuaire de la rusticité paysanne.

    La maison se niche sur une forte pente, au milieu d'un grand jardin parsemé de spécimens indigènes inusités comme le « heirloom garden ». En même temps qu'il représente un environnement personnalisé, le jardin, aux yeux de Jean-Guy, a été conçu pour rendre hommage à tous les amis qui l'ont aidé dans la réalisation de son projet.

    Jean-Guy, également collectionneur, a recréé dans sa maisonnette un intérieur rustique semblable à celui qu'habitaient les colons au tournant du siècle. Il s'est procuré les objets et les meubles au cours des ans, grâce à ses visites chez les antiquaires ou dans des encans ou aux puces. La plupart sont des objets fonctionnels,

Dans un coin, un poêle à bois «Saint-Georges» et ses accessoires pour la cuisson des aliments. Les murs, peints en blanc, se détachent franchement de la structure du plafond et du plancher en bois, auxquels on a conservé leur état naturel.

Dans la pièce unique de la maison, le coin salle à manger, qui se résume à une simple table de campagne, quelques chaises et, suspendue au plafond, une lampe à l'huile. Sur une partie des murs, en guise de papier peint, un petit truc décoratif très simple : les pages d'un vieux journal collées ici et là sur les planches verticales.

Sur une chaise Windsor trône une chatte, Nelly. Privée des extrémités de ses oreilles et de sa queue à cause d'un grand froid qui l'avait amenée à chercher un gîte, elle a maintenant adopté les lieux.

Jean-Guy a conservé à l'étage des combles son aspect rustique : ainsi les larges planches en bois brut au sol et les versants du toit sont-ils formés de leurs planches de recouvrement supportées par des chevrons-arbalétriers.

Sous les combles, on voit quelques objets et accessoires dont un coffre, un pot à eau et sa cuvette, une petite table, quelques chaises et un rouet.

La porte arrière s'ouvre sur une petite galerie. Les murs sont faits de planches horizontales, qui étaient jadis peintes en blanc alors que la porte grillagée adopte toujours la couleur verte propre aux accessoires d'été.

très simples, de fabrication industrielle ou artisanale. On y trouve des ustensiles de cuisine, des outils, des meubles rustiques éraflés par le temps, des contenants en terre cuite au vernis rude, des accessoires employés tous les jours. Des accessoires de vaisselle, des ustensiles et des couverts sont placés sur la table de cuisine, créant une impression de réalisme, un peu comme si ces objets se trouvaient là par hasard...

Le décor des pièces y est aussi rustique : les murs sont faits de planches verticales fixées à des colombages, le bois reste sans apprêt et, à certains endroits, de vieux papiers imprimés sont collés sur les murs. Les planchers, en madriers inégaux, présentent un aspect défraîchi, comme s'ils étaient usés par des années de lavage au savon grossier. Deux couleurs dominantes, le brun et un gris doux, achèvent de donner cette impression d'intérieur patiné dans lequel se fondent

Dans cet ensemble de bâtiments réunis par Jean-Guy, l'école de rang occupe une place importante. Déménagée avec soin et remise en état, elle sert maintenant de salle de classe à des étudiants en arts plastiques. On y trouve encore aujourd'hui des bancs et des chaises en bois, des tablettes murales, des cadres d'époque et, au centre, le poêle à bois, modèle «Wild Flower» de fabrication canadienne.

tout naturellement les objets et le mobilier. Comme le dit Jean-Guy, c'est «une oasis chatoyante aux ondes nostalgiques...»

Jean-Guy ne s'arrête pas là pour autant; non satisfait, il continue son travail de collectionneur et d'amateur du patrimoine. L'ancienne école avoisinante, construite vers 1890, est à l'abandon? Il l'achète, la fait transporter sur son terrain, lui réservant une place légèrement en retrait. La voilà rafraîchie, son intérieur simplement remis en état, il la destine à des cours d'art saisonniers. D'ici là, elle sert à des expositions, des réunions de famille, des récitals.

En acceptant de partager un peu de son univers quotidien et de lever le voile sur ce décor original, Jean-Guy laisse dans nos souvenirs, grâce à cette visite, des images empreintes de romantisme.

La pièce la plus noble de la maison principale est le
salon. Son décor, d'esprit victorien, mais dans sa version
campagnarde, est dominé par deux grandes fenêtres au
cadre blanc qui se détachent sur le fond brun rouge des
murs. Au sol, un grand tapis d'inspiration orientale
recouvre un plancher fait de larges
planches de bois. Sur la table à
thé centrale, des accessoires et
des ustensiles ont été disposés,
destinés à recevoir les visiteurs :
une assiette montée et un plateau
de service avec sa cafetière, ainsi
qu'un service à sherry. Sur le mur
du fond, un harmonium portatif
surmonté d'un miroir avec encadrement de style Empire.

La grande maison, un modèle architectural de la fin
du XIXe siècle, s'inspire des propriétés construites non
loin de là, dans les États de la Nouvelle-Angleterre.

Il est rare qu'on conserve encore aujourd'hui un lavabo
ancien. Ici, on retrouve toute la structure d'origine de
cet accessoire : sa base en planches, l'évier de métal et
la pompe manuelle. Au-dessus, une tablette sur laquelle
sont disposés quelques accessoires de toilette.
À droite, on entrevoit par la porte la cuisine actuelle.

233 *Une petite maison de colon*

Une maison au milieu de la rivière du Loup

**UN INTÉRIEUR
DE COLONISATION
DE LA FIN
DU XIXᵉ SIÈCLE**

Certaines maisons sont tout simplement situées en bordure de la route tandis que d'autres s'élèvent au milieu de la campagne. Mais une maison sur une île... Oui, me direz-vous, quoi d'étonnant à cela ? Il existe plusieurs îles sur lesquelles se trouvent des maisons... Oui, mais... une maison sur une île et, qui plus est... une île ayant le même propriétaire que la maison, une île privée ayant une seule maison, n'est-ce pas qui commence à piquer votre curiosité, qu'en dites-vous ?

Il faut bien des détours pour se rendre à cette maison de colonisation de la fin du XIXᵉ siècle, conservée dans son état d'origine tant à l'extérieur qu'à l'intérieur. Pour s'y rendre, il faut d'abord emprunter une grande route, puis un rang, puis un petit chemin de campagne qui s'interrompt dans un cul-de-sac. Là, derrière les arbres, un sentier à peine praticable en automobile sillonne des buttes dans un paysage étrange. Quand enfin la vue se dégage, un petit pont

On accède à l'île par un petit pont. De ce côté, la rivière n'a qu'un faible débit et ceinture l'île en franchissant successivement des bassins rocheux.

La cuisine d'été est peinte en deux couleurs : les murs et le dessous des madriers de l'étage sont jaunes, les poutres sont bleues, tout comme le comptoir sur lequel repose le lavabo et les armoires de cuisine. L'effet est saisissant et fait penser à une maison jouet. Dans la cuisine d'été, l'accès à l'étage se fait au moyen d'un simple escalier en planches dont les deux volées sont réunies par un petit palier carré.

de fer surgit tout à coup, enjambe des rochers et des bassins d'eau, et conduit à l'île enchanteresse.

L'île forme une petite résurgence rocheuse, à peine recouverte d'humus, ornée de quelques arbres, et violentée par le fort courant de la rivière du Loup. En amont, un beau bassin calme, mais à la hauteur de l'île et en aval, une forte dénivellation entraîne le courant dans une suite de cascades, de chutes et de violents tourbillons. La rivière se divise en deux, formant un bras principal et un petit chenal naturel sur lequel a été érigé un premier moulin en 1883.

Quelques années plus tard, Évariste Lamy, nouveau propriétaire du site et de son moulin, fait construire cette maison qui nous intéresse. Lucette, l'une de ses descendantes, en prend possession en 1972. Depuis lors, la maison n'a pas changé.

237 | Une maison au milieu de la rivière du Loup

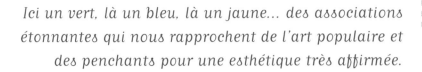

Ici un vert, là un bleu, là un jaune... des associations étonnantes qui nous rapprochent de l'art populaire et des penchants pour une esthétique très affirmée.

Les revêtements des murs et du plafond sont en fines planches de pin.
Les maisons de colonisation sont fréquemment pourvues d'une structure carrée faite de madriers ou de colombages, qui sert à supporter la masse de maçonnerie de brique de la cheminée et qu'on utilise aussi comme espace de rangement après l'avoir garni de quelques tablettes et d'une porte en planches.

Influencé par l'éclectisme de la fin du XIXe siècle, l'ensemble des pièces témoigne d'une
certaine originalité par l'utilisation de chambranles épais surmontés de médaillons,
eux-mêmes porteurs de délicates couronnes décoratives. Au milieu de la cuisine,
l'accessoire indispensable de la maison, la cuisinière au bois de marque L'Islet,
flanquée d'une petite chaudière à l'huile, un modèle répandu dans les années 1950.

Pas de connexion au réseau public d'électricité, pas d'aqueduc ou d'approvision-
nement municipal en eau, mais une génératrice extérieure qui fournit un peu de
courant pour allumer quelques ampoules et donner un peu d'eau.

      L'intérieur, entièrement recouvert de planches, est divisé en quelques
pièces, chacune ayant sa couleur. Ici un vert, là un bleu, là un jaune... des associations étonnantes qui nous rapprochent de l'art populaire et des penchants
pour une esthétique très affirmée. La maison comporte au rez-de-chaussée une
grande cuisine, un salon et une petite chambre. Un escalier conduit à l'étage et
à ses chambres. Un vieux plancher en madrier brut, non peint, rappelle les conditions souvent sommaires de l'aménagement intérieur de ces maisons de colonisation. Dans la cuisine d'été, en retour d'équerre par rapport au corps principal,

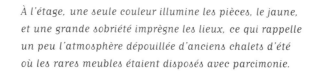

*À l'étage, une seule couleur illumine les pièces, le jaune,
et une grande sobriété imprègne les lieux, ce qui rappelle
un peu l'atmosphère dépouillée d'anciens chalets d'été
où les rares meubles étaient disposés avec parcimonie.*

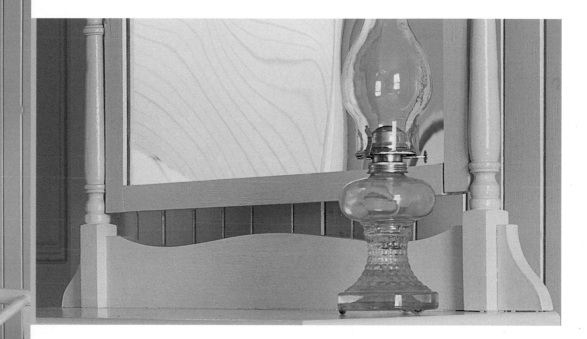

les murs et les armoires de cuisine arborent des couleurs tranchées, au premier abord surprenantes.

Petit havre de paix pour Lucette et son mari, la maison et son site sont souvent le lieu de rencontre des enfants et petits-enfants qui viennent en redécouvrir, avec toujours le même étonnement, les particularités surprenantes et les qualités enchanteresses. On dirait un lieu coupé du reste du monde dont l'accès n'est permis qu'aux initiés.

La maison Taschereau

MANIFESTATION D'ÉCLECTISME À SAINTE-MARIE

Aussi bien le dire tout de suite, le manoir n'est pas un manoir... Pour être plus précis, disons que l'habitation qu'on a coutume d'appeler « le manoir Taschereau » est en réalité une maison construite entre 1809 et 1811 sur la rive ouest de la rivière Chaudière. Le véritable manoir aurait été construit tout près, en 1826, et démoli vers 1956.

La maison Taschereau actuelle ne s'inscrit pas moins dans le grand registre honorable de la famille Taschereau, à laquelle elle est intrinsèquement liée. Son constructeur, Jean-Thomas Taschereau (1778-1832), avocat et juge de paix qui régnait sur la seigneurie de Linière, figure parmi les cofondateurs du journal *Le Canadien* en 1806. Jean-Thomas, son fils, pratique le droit et devient juge à la Cour suprême du Canada en 1875. Elzéar-Alexandre (1820-1898), son frère, est ordonné prêtre en 1842 et devient le premier cardinal canadien en 1886. Finalement, un neveu de marque, Louis-Alexandre Taschereau,

Au mur, un tableau représentant Henri-Elzéar Taschereau (1836-1911), juge à la Cour suprême en 1878 et premier Canadien français à occuper la fonction de juge en chef en 1902.

futur premier ministre du Québec de 1920 à 1936, y séjourne l'été pendant son enfance.

Autre ambiguïté, l'apparence extérieure de la maison. Lorsqu'elle est construite au début du XIXe siècle, en pièce sur pièce, la maison emprunte ses caractéristiques au style Palladien. Évoquons plus précisément son grand volume rectangulaire à deux étages, son toit à deux versants avec grandes croupes et la saillie centrale surmontée d'un fronton percé d'un oculus. Laissée à l'abandon au début du XXe siècle, la maison se transforme à partir de 1940, sous l'impulsion de femmes décidées. Et là son apparence se transforme...

On connaît déjà dans la première partie du XXe siècle le regain de popularité de styles architecturaux en vogue au XIXe siècle. Au milieu de cette grande

La grande salle est séparée de l'escalier
principal par des colonnes ioniques.
Les fenêtres sont habillées de draperies
disposées en écharpe sur une tringle, une
parure inspirée du style Régence anglais.

Dans la salle à manger, les fenêtres sont lourdement ornementées dans l'esprit victorien de fin du XIXᵉ siècle.
Des rideaux de velours fixés sous un épais drapé à franges et festons sont suspendus sous une épaisse corniche
en bois ornée d'oves et de rosettes. L'aménagement intérieur, éclectique, se sert abondamment de bois sombres
qui évoquent des lambris constitués de panneaux d'assemblage. Au plafond, un découpage de fausses poutres
imite de grands caissons.

famille aux allures d'éclectisme, le néoclassicisme reprend du galon. Réapparu à la fin du XIXᵉ siècle aux États-Unis, il demeure à l'ordre du jour jusque vers les années 1950.

Curieusement, l'habillement extérieur de la maison Taschereau est refait dans ce style, entre 1941 et 1943, sous l'impulsion d'Yvette des Trois Maisons dit Picard, épouse de Rémy-Georges Taschereau, alors propriétaire. Le trait marquant de ce néoclassicisme consiste en un porche central sur deux étages, surmonté d'un fronton triangulaire et supporté par des colonnes classiques ioniques ou corinthiennes. L'intérieur de 1809-1811 n'échappe pas au bras rénovateur de la nouvelle propriétaire. Le hall d'entrée central disparaît et des éléments de boiseries sont ajoutés. L'esprit d'ensemble est cependant conservé.

249|La maison Taschereau

À l'étage, dans la chambre natale du cardinal Taschereau, les papiers peints rappellent ceux dont on revêtait les murs à l'époque. Aux fenêtres, une passementerie au lourd drapé, parure d'esprit victorien de la fin du XIXe siècle. Le lit et la commode surmontée d'un grand miroir, de style Eastlake, suggèrent une influence néorenaissance.

[...] la maison est avantageusement localisée sur le chemin longeant la rivière Chaudière, à quelques kilomètres de Sainte-Marie-de-Beauce. L'intérieur, entièrement rafraîchi, rappelle, par son riche mobilier et ses tissus opulents partout présents, le prestigieux passé des Taschereau.

À l'étage, trois autres chambres, plus petites, sont personnalisées au moyen de couleurs et d'accessoires variés collectionnés par la propriétaire.

Les interventions ne s'arrêtent pas là. Mais l'ampleur de la maison, sa construction entièrement en bois, les travaux d'entretien retardés en ont fait une entreprise de rénovation coûteuse. La famille Taschereau se désintéresse de la propriété, jusqu'à ce qu'une jeune femme énergique, Myriam Taschereau, nièce de Rémy-Georges, prenne les choses en main. La maison est classée monument historique en 1978. La nouvelle propriétaire, désireuse de rentabiliser cette grande propriété, en fait un gîte du passant. Il faut dire que la maison est avantageusement localisée sur le chemin longeant la rivière Chaudière, à quelques kilomètres de Sainte-Marie-de-Beauce. L'intérieur, entièrement rafraîchi, rappelle, par son riche mobilier et ses tissus opulents partout présents, le prestigieux passé des Taschereau.

Un cottage inspiré de la campagne anglaise

UN INTÉRIEUR DANS L'ESPRIT ARTS AND CRAFT

Le mouvement Arts and Craft, né en Angleterre dans la seconde moitié du XIXᵉ siècle, doit beaucoup à William Morris, fondateur en 1861 d'une compagnie qui mit sur le marché une grande variété de produits domestiques tels que meubles, tapis, papiers peints et textiles, articles ou matériaux s'inspirant le plus possible des techniques traditionnelles de fabrication. Mais d'autres influences apparaissent par la suite, notamment celles de divers courants esthétiques, par exemple l'influence orientale dans l'utilisation de la porcelaine chinoise à des fins décoratives ou l'horizontalité des maisons japonaises et, plus importante ici, l'influence de l'architecture vernaculaire anglaise.

L'intérieur domestique représenté ici s'inscrit plutôt dans cette dernière tendance d'un retour à la campagne anglaise. Ces influences se manifestent particulièrement dans le traitement des espaces, dans le choix des matériaux et de leur traitement et finalement dans l'élaboration d'un vocabulaire décoratif.

La porte d'entrée principale s'ouvre sur une petite salle agrémentée d'un foyer et séparée du grand salon éclairé de nombreuses fenêtres par une arche pourvue de colonnettes.

Deux escaliers conduisent à l'étage, dont l'escalier principal, embelli par un lambris d'appui avec panneaux à joints carrés assemblés sans mouluration.

La maison est conçue non comme un ensemble symétrique, mais plutôt comme un grand espace éclaté où la multiplicité des angles et des recoins s'amuse à brouiller la rationalité. Pas d'escalier central ici, mais une pièce qui s'avère être le pivot de la circulation au rez-de-chaussée, où s'élève un grand foyer, et qui reste le seul lieu où l'on peut contempler d'un regard toutes les pièces qui composent la maison.

Même si le plâtre apparaît ici et là, on sent qu'il n'est qu'un accessoire secondaire dans ce tableau et que le bois a le beau rôle. Trait marquant des intérieurs Arts and Craft américains, un lambris à hauteur d'appui, formé de travers et de montants délimitant des panneaux, ceinture la plupart des pièces. Les panneaux sont bien rectangulaires et les assemblages droits, sans traces de fioritures autres

257 | *Un cottage inspiré de la campagne anglaise*

Un magnifique manteau de cheminée, surmonté d'une tablette et orné de panneaux d'assemblage entourés d'une fine moulure, recouvre la masse de la cheminée en brique. Au plafond, des solives rectangulaires rappellent la rusticité des chaumières anglaises.

Les planchers sont faits de lattes de bois franc, lesquelles étaient déjà fort répandues au début du XIXᵉ siècle. Dans la pièce du fond, utilisée comme bureau, une moulure rehausse le pourtour du plafond.

que des moulures ou des coins arrondis. À la hauteur des linteaux des portes, une corniche faisant office de tablette s'appuie sur des petits corbeaux d'inspiration médiévale. Plus haut encore, une corniche réunit murs et plafond ; elle nous rappelle que l'influence victorienne et son penchant pour les formes arrondies n'avait pas été encore évacuée du vocabulaire stylistique des concepteurs de ce cottage campagnard.

L'imposant foyer s'orne d'un grand manteau de menuiserie surmonté d'une large corniche. L'ouverture de l'âtre comporte en son sommet des briques disposées en claveau, détail qui rappelle le côté rustique des constructions médiévales en maçonnerie. Au plafond de la pièce centrale, un effet de grands caissons est obtenu par l'utilisation de fausses solives, autre évocation des penchants vernaculaires des intérieurs campagnards anglais.

Dans cet intérieur éclectique où les souvenirs de voyage abondent, l'ensemble architectural comprend un lambris d'appui et, près du plafond, une sorte de corniche supportée par des corbeaux, sur laquelle sont disposés divers objets de collection. Les fenêtres de la salle à manger s'ouvrent sur une véranda fermée, transformée en serre. Le mur du fond de la salle à manger reprend le concept décoratif mural utilisé dans les pièces d'apparat, et une porte de service permet d'accéder à la cuisine.

Trait marquant des intérieurs Arts and Craft américains, un lambris à hauteur d'appui, formé de travers et de montants délimitant des panneaux, ceinture la plupart des pièces. [...] À la hauteur des linteaux des portes, une corniche faisant office de tablette s'appuie sur des petits corbeaux d'inspiration médiévale.

*Les éléments du décor se résument à de
grosses plinthes, à de larges chambranles
autour des portes et à une quincaillerie
délicate. Les anciens interrupteurs
électriques à boutons ont été conservés.*

*À l'étage, la toiture complexe à plusieurs versants
et percée de larges lucarnes crée un espace intérieur
aux angles et aux arêtes multiples.*

263 *Un cottage inspiré de la campagne anglaise*

Dans la cuisine, plusieurs détails retiennent l'attention. La jonction des murs et du plafond est de forme incurvée et leur recouvrement, en tôle embossée, reprend le motif de tuile des murs et le motif floral du plafond. Enfin les fenêtres à deux battants, dont le carreau supérieur est subdivisé en losanges, rappellent les modèles en usage au XVIIIe siècle.

Dans ce décor du tournant du XIXe siècle, le propriétaire de la maison s'est contenté d'une présence discrète. Grand voyageur, amateur de mobilier ancien, d'objets et de curiosités diverses, il a disposé ici et là ses trouvailles, au gré des recoins, des tablettes et des corniches capables de les accueillir. Une bonne fenestration souvent composée de baies juxtaposées et de verres plombés dispense un éclairage généreux aux plantes qui habitent la maison. Ici, le bonheur se nourrit du retour aux choses simples de la vie et à ses principes de base, règle primordiale du mouvement Arts and Craft.

2651 *Un cottage inspiré de la campagne anglaise*

La maison McAuley

EN TERRE D'ÉCOSSE, UN GÎTE ACCUEILLANT À GOULD

À quelque 50 kilomètres à l'est de Sherbrooke, le petit hameau de Gould signale encore aujourd'hui la présence de familles écossaises arrivées un peu moins de deux siècles auparavant. Rappelons-nous les circonstances de cette immigration. Au début du XIXe siècle, la population des îles Lewis, partie intégrante de l'archipel des Hébrides, est forcée par les seigneurs locaux de quitter les terres qu'elle cultive au profit d'éleveurs de moutons, dont la production est plus rentable. Dès 1838, un contingent de 200 immigrants écossais arrive non loin de Sherbrooke, qui sera suivi de plusieurs autres au cours des décennies subséquentes. Au milieu du XIXe siècle, le village gaélique de Gould est créé dans le canton de Lingwick.

Aujourd'hui, il reste de cette présence plusieurs maisons, l'ancien magasin général de James Ross et quelques édifices institutionnels. Le village lui-même présente une configuration bien simple, celle de quelques habitations agglutinées

Dans une adjonction attenante, un salon a été aménagé à l'intention des visiteurs. Des planches de BC Fir recouvrent le plafond, l'escalier et la cheminée. Les meubles proviennent de la région : sofas de la période 1870-1890 et petite table des années 1930 dans l'esprit Chippendale. Le tapis a été acheté à Rome vers 1950 par Mgr Cloutier, parent de l'un des propriétaires.

à une intersection de l'actuelle route 108. Un peu à l'écart, tout à côté d'un joli ruisseau, une maison du début du XXe siècle a été transformée en gîte du passant.

Un dénommé William McAuley, descendant des premiers Écossais arrivés sur les lieux, a fait construire cette maison en 1913. La maison en bois, à deux étages, conserve ses divisions d'origine. On trouve au rez-de-chaussée un petit hall d'entrée et un escalier conduisant à l'étage. Tout autour du hall, trois portes s'ouvrent chacune successivement sur le salon, la salle à dîner et la cuisine. Les chambres sont à l'étage. Daniel et Jacques, propriétaires des lieux, s'efforcent de conserver l'aspect d'origine, d'autant qu'ils ont acheté la maison dans son état original.

Comme beaucoup de maisons vernaculaires du début du XXe siècle, l'intérieur est recouvert de petites planches moulurées, tant sur les murs que sur les plafonds,

269 *La maison McAuley*

Une porte vitrée sépare la cuisine du vestibule. La radio est un modèle de la fin des
années 1930. Les murs du rez-de-chaussée, entièrement recouverts de planchettes
provenant de Colombie-Britannique, bénéficient d'une disposition savante :
les planchettes ont été posées à la verticale sur la partie inférieure afin d'imiter
le lambris d'appui, tandis que le couronnement mouluré est posé à l'horizontale,
tout comme les rangées supérieures qu'on a séparées par des tringles verticales.

Une fenêtre de façade
à l'étage éclaire
le corridor menant
à l'escalier.

Plutôt que d'apposer verticalement les planchettes,
il les a disposées en chevrons, tant sur certains murs
qu'au plafond. Cette technique est d'ailleurs utilisée
dans le Town Hall, datant de la fin du XIXe siècle [...].

Dans la salle à manger, la disposition des planchettes embouvetées diffère des autres pièces.
La surface murale a été divisée en trois sections : la partie inférieure rappelle le lambris d'appui,
la partie centrale correspond au mur lui-même et la partie supérieure prend l'allure d'une frise.
Au plafond, un arrangement complexe converge vers le plafonnier central.

vernies à leur couleur naturelle de bois. Mais contrairement à ce que l'on voit habi-tuellement, le constructeur s'est permis de nombreuses fantaisies. À moins qu'il ne s'agisse d'un artifice pour tout simplement éviter de gaspiller le matériau et récupé-rer aussi les petites longueurs de planches. Plutôt que d'apposer verticalement les planchettes, il les a disposées en chevrons, tant sur certains murs qu'au plafond. Cette technique est d'ailleurs utilisée dans le Town Hall, datant de la fin du XIXᵉ siècle, et dans l'église. Il en résulte un effet bigarré surprenant, largement responsable de l'originalité de cet intérieur. De nombreuses moulures délimitent les murs à leur base, à hauteur d'appui et au sommet des murs, agrémentant ces différentes surfaces.

Tout imprégnée des influences de son milieu culturel environnant, la mai-son reprend cependant la conception typique des intérieurs propres au Four Square

À l'étage, les propriétaires ont conservé tous les éléments d'ornementation en bois naturel tels l'escalier et son garde-corps, les chambranles et les portes à cinq panneaux. Les chambres ont été décorées simplement. Comme dans le modèle architectural dit Four Square américain, l'escalier central conduit à l'étage des chambres.

Dans l'une des chambres, la masse de cheminée en brique nue conserve encore la signature de son fabricant, localisé à East Angus, à quelques kilomètres.

Donat Roireau
25 mai 1904 – 18 mars 1975

Agnès Auger
11 juillet 1904 – 10 avril 1988

*Sur le buffet qui complète le mobilier de salle à manger, un modèle des années 1920-1930,
acquis dans la région, les pages ouvertes d'un livre montrent les photographies des
grands-parents de l'un des propriétaires.*

*À l'entrée du gîte,
un sphinx usé par le temps.*

américain. Elle représente un concept d'habitation très répandu dans les campagnes
québécoises du début du xxᵉ siècle.

Aujourd'hui recyclée en gîte du passant, la maison McAuley sait partager avec ses visiteurs son cadre typique du début xxᵉ siècle, son environnement
pittoresque dans un petit village encore imprégné des couleurs de l'Écosse et le
chuchotement constant de la rivière adjacente.

La maison
du Dr Chabot

UN INTÉRIEUR
BOURGEOIS DE 1924
À SAINTE-CLAIRE
DE BELLECHASSE

Il était une fois un médecin de campagne qui s'occupait consciencieusement de la santé des gens du village et de ses environs, qui fabriquait
lui-même ses remèdes et ses potions à l'aide de produits de base achetés à
Québec, qui avait même charge de santé le long de la ligne du chemin de fer
de Beauce, trajet qu'il parcourait régulièrement. Un beau jour, parce qu'il avait
fait affaire avec l'architecte officiel du diocèse de Québec, Jos.–P. Ouellet, il
se fit construire par ses soins une confortable résidence comprenant un bureau
dans le charmant village de Sainte-Claire de Bellechasse. Eh bien, voyez! Ce médecin, J.A.N. Chabot de son nom, est décédé en 1972, mais il a tout laissé. Et
quand je dis tout, cela doit s'entendre dans son sens littéral. La maison, léguée
à sa fille, est restée intacte jusqu'à aujourd'hui, tant à l'extérieur qu'à l'intérieur, ce qui veut dire aussi que les meubles, les objets personnels, la literie
et les vêtements, les carnets de rendez-vous, les médicaments, les instruments,

Le cabinet de consultation du Dr Chabot est dans un remarquable état de conservation. Il comporte encore un pupitre, des bibliothèques médicales, ainsi que des produits pharmaceutiques utilisés par le médecin, son diplôme et ses carnets de rendez-vous.

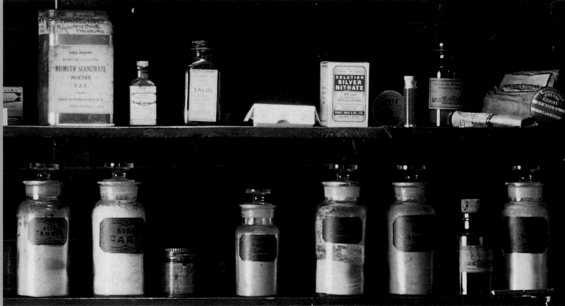

la sacoche, les valises du grenier, leur contenu, et ainsi de suite, tout a été soigneusement conservé...

La maison du Dr Chabot est construite dans le style des années 1920-1930. Mais peut-on vraiment parler de style ici ? À bien l'examiner, la maison se veut avant tout fonctionnelle ; sa conception et son décor puisent ici et là dans les courants esthétiques en vogue à la fin du XIXe siècle et au début du XXe siècle. On croit ainsi reconnaître diverses influences comme celle du néo-Queen Anne, populaire à la fin du XIXe siècle et au tout début du XXe siècle, dans la présence d'un avant-corps en façade et d'une terrasse faîtière avec sa crête. En façade, la galerie surmontée d'un fronton triangulaire au-dessus de la porte d'entrée est conçue dans le style du renouveau classique, style large-

*L'escalier principal de la maison, où s'harmonisent des essences de bois pâle et foncées.
La partie supérieure de la cage d'escalier comporte un arrondi. Quant aux portes intérieures,
elles sont surmontées de fenêtres d'imposte ouvrantes fabriquées selon un procédé introduit
aux États-Unis au cours des années 1880 par la American Manufacturing Company.*

L'accès au bureau du Dr Chabot, vu de la salle à manger.
Les initiales du docteur servent d'élément décoratif sur les vitres d'une porte.

ment repris au début du XXe siècle. Quant à la fenestration, elle est typique du début du XXe siècle : fenêtres à deux grands carreaux surmontés d'une imposte vitrée.

La règle de la commodité semble avoir prévalu à l'intérieur puisque, de façon générale, c'est une impression de sobriété et de simplicité du décor qui prévaut sur celle d'un style véritable. Un sentiment d'unité domine malgré tout, grâce à cette couleur brune partout présente. Le BC Fir, une planchette étroite et moulurée, vernie, recouvre tous les murs et les plafonds et pourrait évoquer le Arts and Craft, alors que les lambris du salon et de la salle à dîner se retrouvent dans les intérieurs vernaculaires des maisons américaines d'esprit Beaux-Arts. L'escalier qui, dans la plupart des grandes résidences, conduit directement

Avec son mobilier d'époque, largement tributaire de la période
dite « Depression Era », cet aménagement illustre à merveille
un intérieur bourgeois de village du début du XXe siècle.

Le lambrissage des murs, réalisé au moyen de multiples panneaux d'assemblage et considéré comme une influence des intérieurs gothiques et Renaissance, de même que son couronnement, composé d'une corniche suffisamment large pour y déposer des objets, sont caractéristiques des pièces d'apparat de la maison vernaculaire d'influence Beaux-Arts du début XXᵉ siècle aux États-Unis. L'utilisation de papiers peints était également très populaire dans les années 1920-1930.

à l'étage, est ici placé à angle droit. Les balustres et le poteau de départ en bois tourné affichent une nette influence victorienne dans leur forme.

Toutes les portes de cloisons sont dotées de fenêtres d'imposte articulées par une tige métallique, modèle popularisé vers 1880 par la compagnie américaine American Manufacturing Company. C'est un modèle qu'on retrouve souvent dans les maisons de style Beaux-Arts (1870-1920). Avec la même insistance, ce style semble avoir influencé les pièces de distinction, soit le salon et la salle à manger où l'on peut voir de grands lambris d'environ six pieds de hauteur, formés de panneaux recouverts de papier peint aux motifs d'inspiration florale et de moulures en bois foncé, ensemble coiffé d'une petite corniche. Cette dernière, suffisamment large pour recevoir des objets décoratifs, est

La salle à manger se compose d'une table, de chaises, d'un vaisselier et d'un buffet. La maison est meublée dans le goût de la période 1925-1940, à l'aide du patrimoine familial entièrement conservé. Plusieurs meubles se rattachent à la période dite « Depression Era » américaine.

Dans les maisons des années 1920-1930, de grosses moulures carrées ou de fausses solives étaient utilisées pour suggérer des plafonds traditionnels à solives formant de grands caissons. Ce procédé est appliqué au plafond de la salle à manger.

une coquetterie très répandue dans les maisons des années 1920-1930. Même les plafonds, avec leurs divisions en grands rectangles délimités par des solives, rappellent les intérieurs traditionnels du Moyen Âge et de la Renaissance.

Avec son mobilier d'époque, largement tributaire de la période dite « Depression Era », cet aménagement illustre à merveille un intérieur bourgeois de village du début du XXe siècle. Si la maison est si bien conservée aujourd'hui, c'est grâce à un groupe de citoyens amoureux de patrimoine, qui en ont fait l'acquisition à des fins de conservation.

À l'étage, le corridor jouxtant l'escalier
est recouvert de planches de pin,
tout comme la chambre des maîtres et
la chambre d'enfant (page suivante).

289 | *La maison du Dr Chabot*

Les lieux sont des personnes, mais des personnes
qui ne changent pas et que nous retrouvons souvent
après bien longtemps, en nous étonnant de ne plus
nous y retrouver les mêmes, ou surtout en nous
étonnant de nous y retrouver les mêmes.

Marcel Proust, *Jean Santeuil*

C O N C L U S I O N

ue conclure après ce parcours qui nous a conduits à l'intérieur de maisons aux styles aussi diversifiés ? Au-delà des témoignages d'abord historiques qu'elles nous livrent, au-delà d'un cheminement chronologique grâce auquel les modes et les tendances y ont imprimé leurs marques, ce voyage à travers des intérieurs variés nous apporte une vision d'univers anciens idéalisés. Idéalisés parce que les aménagements intérieurs de ces maisons uniques ont pour la plupart été conçus en dehors des contraintes de l'époque à laquelle ils appartiennent.

Restitutions pas seulement historiques, mais également très humaines. Car chaque propriétaire y a mis du sien, y a projeté sa propre conception d'un mode de vie, que ce soit celui qui avait cours à une autre époque, celui dans lequel évoluaient certains personnages historiques ou encore celui que lui inspirait son histoire familiale.

En ce sens, les organisations intérieures de ces maisons traduisent bel et bien des choix individuels et seraient des miroirs de chacune des personnes qui ont participé à la recréation de leur décor. Ces lieux, c'est-à-dire ces maisons dans lesquelles leurs propriétaires ont projeté leur personnalité, seraient en quelque sorte elles aussi des personnes... Alors ce livre aura été pour vous ce qu'il a été pour moi, une façon de retrouver autrui et de faire des rencontres. Sans doute...

C A R N E T   D ' A D R E S S E S

Les maisons suivantes sont accessibles au public, elles accueillent les visiteurs ou encore leur clientèle lorsqu'il s'agit de gîtes.

OUVERT AU PUBLIC

OUVERT À LA CLIENTÈLE DU GÎTE

LEXIQUE

APPUI-CHAISE Moulure décorative placée à hauteur d'appui le long des murs ou des cloisons d'un édifice ou d'une maison.

ARC D'OGIVE Arc au sommet aigu formé par la rencontre de deux segments de cercle.

ARC SURBAISSÉ Arc ayant la forme d'une anse de panier.

ARCADE AVEUGLE Ouverture pratiquée sous un arc, qui ne perce pas complètement le mur dans lequel elle est construite.

ARCHITRAVE Partie inférieure de l'entablement qui repose habituellement sur la colonne ou le pilier classique.

AVANT-CORPS Partie d'un bâtiment qui est en saillie par rapport à la ligne de la façade.

BALUSTRE Petite colonne ronde utilisée dans la construction d'une balustrade.

BARROTIN Petit pilier carré utilisé dans la construction du garde-corps.

BC FIR Sapin de Colombie-Britannique.

CAISSON Compartiment creux, carré ou rectangulaire, formé par la rencontre de solives ou de poutres, utilisé ou imité pour la décoration des plafonds.

CHAÎNAGE Dispositif de renforcement vertical des angles d'un mur composé de pierres de taille, dont l'effet peut être décoratif.

CLAVEAU Pierre taillée en coin utilisée dans la construction d'un arc.

CORBEAU Pièce de pierre ou de bois en saillie destinée à supporter divers objets ou éléments d'une construction.

EASTLAKE (STYLE) Variante états-unienne du style Néo-Queen Anne, utilisant abondamment les planches horizontales, les balustres et les poteaux tournés.

EMBOUVETÉ Assemblé par rainure et languette.

FENÊTRE D'IMPOSTE Petite fenêtre qui couronne une ouverture plus grande.

FENÊTRE GÉMINÉE Ensemble de deux fenêtres qui n'entrent pas en contact.

FOUR SQUARE AMÉRICAIN Modèle architectural commun, de plan carré, à deux étages, coiffé d'un toit en pavillon comme il en est apparu à la fin du XIXe siècle.

GRANDE-LUCARNE Lucarne réunissant plusieurs fenêtres.

JOINT TRINGLÉ Joint recouvert d'une moulure.

LAMBRIS À HAUTEUR D'APPUI Recouvrement de bois à la base du mur, se terminant à hauteur d'appui.

MOUVEMENT PITTORESQUE Tendance esthétique anglaise prônant une architecture intégrant la nature.

MOUVEMENT ARTS AND CRAFT Tendance esthétique anglaise née au XIXᵉ siècle qui, en réaction au développement de l'ère industrielle, prônait la création et l'emploi de matériaux naturels dans des formes inspirées des traditions de la campagne anglaise.

MUR PIGNON Mur extérieur d'une maison compris entre les deux versants du toit.

NÉOCLASSICISME Style ayant cours de la fin du XVIIIᵉ siècle jusqu'au début du début du XIXᵉ siècle, qui puise son inspiration dans l'Antiquité classique.

NÉOGOTHIQUE Style ayant cours au début et au milieu du XIXᵉ siècle, qui puise son inspiration dans le gothique.

NÉO-QUEEN ANNE Style de la fin du XIXᵉ siècle puisant son inspiration dans la période du règne de la reine Anne Stuart (1702-1714).

OCULUS Petite fenêtre ronde pratiquée dans un mur ou une cloison.

PALLADIEN Première phase stylistique de la période georgienne, qui puise largement son inspiration dans les réalisations de l'architecte italien Andrea Palladio. *Voir Période georgienne.*

PÉRIODE GEORGIENNE Période qui, en Angleterre, s'étend de 1820 à 1830 et voit fleurir successivement les styles palladien, néoclassique et régence.

PÉRIODE VICTORIENNE Période débutant en 1837 et se terminant au tout début du XXᵉ siècle, qui correspond approximativement au règne de la reine Victoria d'Angleterre.

PIÈCE SUR PIÈCE Procédé de construction consistant à empiler des pièces de bois équarries les unes sur les autres.

POTEAU DE DÉPART Premier balustre d'un garde-corps sur lequel prend appui la main courante.

RÉGENCE Troisième phase stylistique de la période georgienne. *Voir Période georgienne.*

SECOND EMPIRE (STYLE) Tendance artistique de la seconde moitié du XIXᵉ siècle, qui puise son inspiration dans la période du règne de Napoléon III en France.

TERRASSE FAÎTIÈRE Couverture horizontale d'un toit, souvent bordée d'une grille métallique.

TOIT À CROUPES Toit à deux versants dont les extrémités se terminent par des croupes, sortes de petits versants triangulaires inclinés.

TOIT BRISÉ Toit formé de deux versants successifs: le brisis et le terrasson. Plus communément, le toit brisé est appelé *à la Mansart* en raison de sa forme qui s'apparente à celle des bâtiments construits par l'architecte français François Mansart (1598-1666).

BIBLIOGRAPHIE

■ AUSSEL, André et Charles BARJONET. *Étude des styles de mobilier,* Paris, Dunod, 1996, 173 p.

■ BACON, René. *Le Vieux Presbytère de Batiscan. Histoire et architecture* par R. Traquair et A.G. Neilson, Éditions du bien public, 1982, 27 p.

■ BEAUDET, Gisèle. « Maison Wilfrid-Laurier », *Les chemins de la mémoire. Monuments et sites historiques du Québec,* tome I, Québec, Les publications du Québec, 1990, p. 63.

■ BERGERON, Michel. « Maison Imbeau », *Les chemins de la mémoire. Monuments et sites historiques du Québec,* tome I, Québec, Les publications du Québec, 1990, p. 274.

■ CALLOWAY, Stephen et Elizabeth CROMLEY. *The Elements of Style. Revised Edition. A Practical Encyclopedia of Interior Architectural Details from 1485 to the Present,* New York, Simon and Schuster, 1996, 568 p.

■ CHASSÉ, Béatrice. « Manoir Dionne, petit Trianon et hangar », *Les chemins de la mémoire. Monuments et sites historiques du Québec,* tome I, Québec, Les publications du Québec, 1990, p. 399 à 401.

■ DUBÉ, Patrice. « Ferme Saint-Gabriel », *Les chemins de la mémoire. Monuments et sites historiques du Québec,* tome II, Québec, Les publications du Québec, 1990, p. 188 à 190.

■ DUPUIS, Suzanne. « Le Musée Laurier », *Continuité,* n° 52, hiver 1992, p. 38 à 40.

■ FIELL, Charlotte et Peter. *1900's 1910's Decorative Art,* Cologne, Taschen, 2000, 575 p.

■ FIELL, Charlotte et Peter. *1920's Decorative Art,* Cologne, Taschen, 2000, 575 p.

■ FIELL, Charlotte et Peter. *1930's 1940's Decorative Art,* Cologne, Taschen, 2000, 575 p.

■ GAUTHIER, Raymonde. *La tradition en architecture québécoise. Le xxe siècle,* Québec, Musée de la Civilisation, 1989, 104 p.

■ GENET, Nicole. *Habitation et aménagement intérieur à Montréal au milieu du xviiie siècle,* Québec, Université Laval, 1977, 241 p.

GENET, Nicole, «Maison Taschereau», *Les chemins de la mémoire. Monuments et sites historiques du Québec,* tome I, Québec, 1990, p. 49 et 50.

GIBBS, Jenny. *Rideaux et draperies,* Londres, Cassell, 1994, 224 p.

KESTEMAN, Jean-Pierre. *Les Écossais de langue gaélique des Cantons de l'Est,* Québec, Productions GGC, 2000, 88 p.

LABIAU, Jean-Pierre. «La salle à manger», *Continuité,* n° 52, hiver 1992, p. 16 à 19.

LAROSE, Danielle. «Site du vieux Presbytère», *Les chemins de la mémoire. Monuments et sites historiques du Québec,* tome I, Québec, Les publications du Québec, 1990, p. 49 et 50.

LESSARD, Michel. *Meubles anciens du Québec,* Montréal, Les Éditions de l'Homme, 1999, 543 p.

MARTIN, Paul-Louis. *À la façon du temps présent. Trois siècles d'architecture populaire au Québec,* Québec, Les Presses de l'Université Laval, 1999, 378 p.

Mᶜ ALESTER, Virginia et Lee. *A Field Guide to American Houses,* New York Alfred A. Knopf, 1984, 525 p.

NADEAU-SAUMIER, Monique. «Carrollcroft: un don inestimable de la famille Colby à la collectivité», *Continuité,* n° 56, mars, avril et mai 1993, p. 14 à 19.

NOPPEN, Luc. «Les intérieurs d'époque. De l'art d'habiter», *Continuité,* n° 51, automne 1991, p. 15 à 18.

NOPPEN, Luc. «L'habitat mis en scène», *Continuité,* n° 51, automne 1991, p. 19 à 25.

NOPPEN, Luc. «Manoir Mauvide-Genest», *Les chemins de la mémoire. Monuments et sites historiques du Québec,* tome I, Québec, Les publications du Québec, 1990, p. 281 et 282.

PRATTE, France et Lyne OUELLET. «La maison Henry», *Continuité,* n° 32-33, été-automne 1986, p. 57 à 59.

PRIOUL, Didier, et Georges LÉONIDOFF. «Décors victoriens», *Continuité,* n° 38, hiver 1988, p. 19 à 25.

RENY, Claude. «Manoir Charleville», *Les chemins de la mémoire. Monuments et sites historiques du Québec,* tome I, Québec, Les publications du Québec, 1990, p. 329.

THORNTON, Peter. *L'époque et son style. La décoration intérieure 1620-1920,* Paris, Flammarion, 1986, 408 p.

Trois maisons historiques. Architecture, culture, patrimoine des Cantons de l'Est, Coaticook, Musée Beaulne, 2000, 12 p.

Une région frontalière unique. Stanstead Plain, Rock Island, Beebe Plain, Ogden, Stanstead-Est, Canton de Stanstead, La Société historique de Stanstead, 1994, 15 p.

VARIN, François. «Les cuisines anciennes», *Continuité,* n° 51, automne 1991, p. 48 à 51.

TABLE DES MATIÈRES

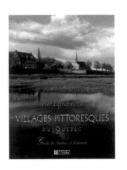

**DU MÊME AUTEUR CHEZ
LE MÊME ÉDITEUR**

Achevé d'imprimer au Canada sur les presses de l'imprimerie Interglobe Inc. en février 2003